DOĞAN KARDEŞ - 236

J. K. ROWLING

Ozan Beedle'ın Hikâyeleri

Eski harflerle yazılmış aslından çeviren:
Hermione Granger

Türkçeye çevirenler:
Sevin Okyay
Kutlukhan Kutlu

children's
HIGH LEVEL GROUP
health. education. welfare.

YKY
İSTANBUL

Yapı Kredi Yayınları – 2827
Doğan Kardeş – 236

Ozan Beedle'ın Hikâyeleri / J. K. Rowling
Özgün adı: The Tales of Beedle the Bard
Çevirenler: Sevin Okyay-Kutlukhan Kutlu

Kitap editörü: Betül Kadıoğlu
Düzelti: Korkut Tankuter

Genel tasarım: Nahide Dikel
Grafik uygulama: Akgül Yıldız

Baskı: Promat Basım Yayım San. ve Tic. A.Ş.
Evren Sanayi Sitesi Yanı Örnek Mah. 1590 Sok. No: 32 Esenyurt / İstanbul

Çeviriye temel alınan baskı: Bloomsbury Publishing, 2008
1. baskı: İstanbul, Ocak 2009
1. baskı Adedi: 15.0000
ISBN 978-975-08-1540-9

Children's High Level Group (CHLG) 1112575 numarasıyla kayıtlı bir hayır kuruluşudur.

Yapı Kredi Kültür Sanat Yayıncılık Ticaret ve Sanayi A.Ş.
Yapı Kredi Kültür Merkezi
İstiklal Caddesi No. 161 Beyoğlu 34433 İstanbul
Telefon: (0 212) 252 47 00 (pbx) Faks: (0 212) 293 07 23
http://www.yapikrediyayinlari.com
e-posta: ykykultur@ykykultur.com.tr
İnternet satış adresi: http://alisveris.yapikredi.com.tr
http://www.yapikredi.com.tr

İçindekiler

İçindekiler

Giriş

Ozan Beedle'ın Hikâyeleri küçük büyücüler ve cadılar için yazılmış bir öyküler toplaması. Bunlar yüzyıllardır çok sevilen uyku öncesi öyküleri, o yüzden de Muggle (sihir kullanmayan) çocuklar için Külkedisi ve Uyuyan Güzel ne kadar tanıdıksa, Hogwarts'taki öğrencilerin çoğu için Zıplayan Çömlek ve İyi Talih Çeşmesi de o kadar tanıdık.

Beedle'ın hikâyeleri birçok bakımdan bizim masallarımızı andırıyor; örneğin erdem genellikle ödüllendiriliyor ve kötülük cezalandırılıyor. Öte yandan çok bariz bir fark var. Muggle masallarında kahramanın dertlerinin kökünde genellikle büyü vardır – kötü cadı elmayı zehirlemiştir, prensesi yüz yıllık bir uykuya sokmuştur ya da prensi korkunç bir canavara dönüştürmüştür. *Ozan Beedle'ın Hikâyeleri*'nde ise kendileri sihir yapabilen ancak sorunlarını çözmede bizim kadar zorlanan kahramanlarla karşılaşıyoruz. Beedle'ın öyküleri nesiller boyu büyücü anne ve babaların hayatın şu acı gerçeğini çocuklarına anlatmalarına yardımcı olmuştur: sihir, dert iyileştirdiği kadar derde de sebep olur.

Bu hikâyelerle Muggle benzerleri arasındaki bir başka kayda değer farklılıksa Beedle'ın cadılarının kendi kaderlerini ellerine almada bizim masallarımızdaki kadın kahramanlardan çok daha etkin olmaları. Asha da, Altheda da, Amata da, Babbitty Rabbitty de upuzun bir şekerlemeye yatmak ya da birinin kayıp bir ayakkabıyı getirmesini beklemek yerine, kaderlerini kendi ellerine alan cadılar. Bu kuralın istisnası –"Sihirbazın Kıllı Kalbi"ndeki adsız kız– bizim masallardaki prenseslerimize daha benzer davranıyor ama hikâyesi "ve sonsuza dek mutlu yaşamışlar" diye sona ermiyor.

Ozan Beedle on beşinci yüzyılda yaşamıştı ve hayatının büyük kısmı bugün hâlâ bir esrar perdesinin arkasında. Yorkshire'da doğduğunu biliyoruz, bugüne kalan tek gravür ise bize onun çok gür bir sakalı olduğunu gösteriyor. Öyküleri görüşlerini doğru bir şekilde yansıtıyorsa, Muggle'ları hayli seviyor, onları kötü niyetliden ziyade cahil olarak görüyormuş; Karanlık Büyü'ye güvenmiyormuş ve büyücü türünün en fena aşırılıklarının zalimlik, duyarsızlık ve kibirle yeteneklerini kötüye kullanma gibi son derece insani özelliklerden geldiğine inanıyormuş. Onun öykülerinde başarıya ulaşan kahramanlar en güçlü sihre sahip kişiler değil, en çok iyi kalplilik, sağduyu ve beceri gösterenler.

Buna çok benzer görüşlere sahip bir günümüz büyü-

cüsü de elbette Merlin Nişanı (Birinci Sınıf), Hogwarts Cadılık ve Büyücülük Okulu Müdürü, Uluslararası Büyücüler Konferedasyonu Yüce Şahsiyeti ve Büyüceşûra Baş Sihirbazı Profesör Albus Percival Wulfric Brian Dumbledore'du. Bakış açısındaki bu benzerliğe rağmen, Dumbledore'un vasiyetinde Hogwarts Arşivleri'ne bıraktığı çok sayıda evrak arasında *Ozan Beedle'ın Hikâyeleri* üzerine notlar bulmak şaşırtıcı olmuştu. Bu yorumları sadece kendi için mi yoksa gelecekte basılması amacıyla mı yazdığını hiçbir zaman bilemeyeceğiz; ancak, Hogwarts'ın şimdiki müdiresi Profesör McGonagall büyük bir iyi niyet göstererek Profesör Dumbledore'un notlarını burada, Hermione Granger'ın masallardan yaptığı yeni çeviride yayımlamamıza müsaade etti. Profesör Dumbledore'un büyücülük tarihi üzerine gözlemler, kişisel hatıralar ve her öykü üzerine aydınlatıcı bilgileri de içeren yorumları gerek büyücü gerekse Muggle yeni bir nesil okurun *Ozan Beedle'ın Hikâyeleri*'ni anlamasına yardımcı olacaktır. Onu şahsen tanıyanların hepsinin inancı o ki Profesör Dumbledore bu projeye desteğini vermekten çok memnun olurdu, özellikle de tüm telif geliri seslerini duyurmaya muhtaç çocuklar için çalışan Children's High Level Group'a bağışlanacağı için.

Profesör Dumbledore'un notları üzerine küçük bir ekleme yapmak doğru olur gibi görünüyor. Anlayabil-

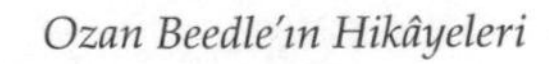

diğimiz kadarıyla, bu notlar Hogwarts'ın Astronomi Kulesi'nin tepesinde gerçekleşen trajik olaylardan on sekiz ay kadar önce tamamlanmış. Son büyücüler savaşının tarihine aşina olanlar (örneğin Harry Potter'ın hayatının yedi cildini de okumuş olan herkes) Profesör Dumbledore'un bu kitabın son öyküsü hakkında bildiklerinden –ya da şüphelendiklerinden– biraz daha azını açığa vurduğunun farkına varacaktır. Atlamış olabileceği şeylerin altında belki de Dumbledore'un yıllar önce en sevdiği ve en ünlü öğrencisine gerçek hakkında söyledikleri yatıyor:

> *"Hem güzel, hem korkunç bir şeydir gerçek, çok özen ister."*

Ona katılalım ya da katılmayalım, belki Profesör Dumbledore'u gelecekteki okuyucuları kendisinin pençesine düştüğü ve sonunda feci bir bedel ödemesine sebep olan akıl çelici unsurlardan korumaya çalıştığı için mazur görebiliriz.

J. K. Rowling
2008

Dipnotlar Üzerine Bir Not

Profesör Dumbledore notlarını büyücü okurlar için yazmış gibi görünüyor, o yüzden de yer yer Muggle okuyucular için biraz açılması gerekebilecek terimlere ya da olgulara dair açıklamalar ekledim.

J. K. R.

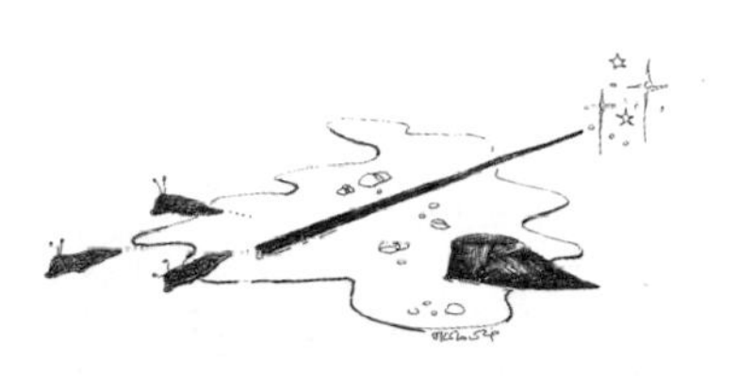

1

BÜYÜCÜ VE ZIPLAYAN KAZAN

Bir zamanlar iyi kalpli bir ihtiyar büyücü varmış, sihrini komşularına yardım etmek için hiç esirgemeden ve akıllıca kullanırmış. Gücünün gerçek kaynağını açığa vurmak yerine de sanki bütün o iksirler, tılsımlar ve panzehirler "şans getiren kazanım" dediği küçük kazandan kullanıma hazır halde çıkıyormuş gibi yaparmış. Kilometrelerce uzaktan insanlar dertlerine şifa bulsun diye gelir, büyücü de memnuniyetle kazanını şöyle bir karıştırır ve her şeyi yoluna koyarmış.

Bu pek sevilen büyücü epey ileri yaşa kadar yaşadıktan sonra ölmüş ve tüm eşyalarını tek oğluna bırakmış. Bu oğul, iyi huylu babasından çok farklı bir mizaca sahipmiş. Sihir kullanamayan insanların beş para etmediğine inanırmış, sağlığında babasının komşularına sihir

yoluyla yardımcı olmasına da sık sık karşı çıkarmış zaten.

Babanın ölümünün ardından oğul, eski kazanın içinde, üzerinde adı yazılı küçük bir paket bulmuş. İçinde altın vardır umuduyla paketi açmış ama onun yerine yumuşak, kalın, ayağa giyilemeyecek kadar küçük ve öbür teki ortalıkta görünmeyen bir terlik bulmuş. Terliğin içinde bir parşömen parçasında şu sözcükler yazıyormuş: "Buna hiçbir zaman ihtiyacın olmaması ümidiyle, oğlum."

Oğul, babasının yaşlılıktan sulanmış beynine veryansın edip terliği tekrar kazanın içine atmış ve bundan böyle kazanı çöp kovası olarak kullanmaya karar vermiş.

Tam da o gece bir köylü kadın, kapısını çalmış.

"Torunumun her yanını siğil bastı, beyim" demiş kadın. "Babanız o eski kazanda özel bir lapa yapardı..."

"Defol!" diye haykırmış oğul. "Senin veledinin siğillerinden bana ne?"

Ve kapıyı yaşlı kadının suratına çarpmış.

Anında mutfağından bir tangırtı, bir patırtı gelmiş. Büyücü asasını yakıp kapıyı açmış ve hayretler içinde, karşısında babasının eski kazanını bulmuş: Kazan, altından tek bir pirinç ayak bitmiş halde orada, mutfağın ortasında zıp zıp zıplıyor, iri döşeme taşlarının üzerinde

korkunç bir ses çıkarıyormuş. Büyücü şaşkınlıkla kazana yaklaşmış ama onun bütün yüzeyinin siğillerle kaplanmış olduğunu görünce telaşla gerilemiş.

"İğrenç nesne!" diye haykırmış ve kazanı önce Kaybetmeye, sonra sihirle temizlemeye, en sonundaysa zorla evden dışarı çıkarmaya çalışmış. Ancak büyülerinden hiçbiri işe yaramamış, kazanın zıplaya zıplaya peşi sıra mutfaktan çıkmasını ve her bir ahşap merdivende tangırdayıp tungurdayarak onu yatağına kadar takip etmesini de engelleyememiş.

Büyücü başucundaki siğilli eski kazanın tangırtısından bütün gece uyuyamamış. Kazan ertesi sabah da ısrarcı bir şekilde büyücünün peşinden hop hop kahvaltı masasına gitmiş. *Tangır, tangır, tangır* diye zıplamaya devam ediyormuş pirinç ayaklı kazan ve daha büyücü yulaf ezmesine başlamadan bir kez daha kapısı çalmış.

Kapıda yaşlı bir adam duruyormuş.

"İhtiyar eşeğim için geldim, beyim" diye açıklamış adam. "Kayboldu gitti, yahut çalındı. Onsuz mallarımı pazara götüremem, bu akşam ailem aç kalacak."

"Ben ise şimdi açım!" diye gürlemiş büyücü ve ihtiyar adamın yüzüne kapıyı çarpmış.

Tangır, tangır, tangır ediyormuş kazanın tek pirinç ayağı zeminde, ama şimdi patırtısına bir de kazanın de-

rinliklerinden yankılanan eşek anırtıları ve aç insan inlemeleri eklenmiş.

"Tek dur. Sessiz ol!" diye bağırmış büyücü, ama onca sihri, onca gücü siğilli kazanı durdurmaya yetmemiş. Kazan bütün gün onun peşi sıra hoplamaya devam etmiş, nereye giderse gitsin, ne yaparsa yapsın anıra anıra, inleye inleye ve tangırdaya tangırdaya onu takip etmiş.

O akşam kapı üçüncü kez çalınmış. Kapı eşiğinde genç bir kadın varmış, kalbi yırtılacakmış gibi ağlıyormuş.

"Bebeğim feci şekilde hasta" demiş kadın. "Bize yardım eder misiniz, lütfen? Babanız bir derdim olduğunda gelmemi..."

Fakat büyücü, kapıyı kadının yüzüne çarpmış.

Bu defa da eziyet verici kazan ağzına kadar tuzlu suyla dolmuş. Bir taraftan zıplayıp yerlere gözyaşı saçıyor, bir taraftan da anırmaya, inlemeye ve siğil çıkartmaya devam ediyormuş.

O hafta büyücünün kulübesine başka köylü gelmemiş yardım istemeye, ama kazan onu köylülerin rahatsızlıklarından haberdar etmeye devam etmiş. Birkaç gün sonra artık anırmakla ve inlemekle, gözyaşı dökmekle, sıçramakla ve siğil çıkarmakla yetinmiyor, bir taraftan da boğuluyor ve öğürüyor, bebek gibi ağlıyor, bir köpek gibi sızlanıyor, etrafa bozuk peynir, ekşi süt ve bir sürü aç sümüklüböcek saçıyormuş.

Büyücü başucunda kazanla uyuyamıyor, yemek yiyemiyormuş ama kazan gitmeyi reddediyormuş. Büyücü onu susturmayı ve durdurmayı da başaramamış.

Sonunda büyücü artık dayanamayacak hale gelmiş. "Bütün sorunlarınızı, bütün dertlerinizi, bütün acılarınızı getirin bana!" diye haykırmış, evden fırlayıp gecenin karanlığına karışarak. Kazan da zıplaya zıplaya köye giden yolun kenarından onu takip etmiş. "Gelin! Gelin tedavi edeyim, onarayım, rahatlatayım sizi! Babamın kazanı bende, hepinizi iyileştireceğim!"

Ve hâlâ peşi sıra hoplayan sinir bozucu kazanla birlikte caddede koşup her bir yana doğru büyü yapmaya başlamış.

Bir evde küçük kız uyurken siğilleri kaybolup gitmiş; kayıp eşek uzak bir çalılıktan Çağırılmış ve usulca ahırına konmuş; üzerine geyik otu serpilen hasta bebek iyileşmiş ve yüzüne pembelik gelmiş halde uyanmış. Hastalığa ve acıya boğulmuş her evde büyücü elinden geleni yapmış. O elinden geleni yaptıkça da yanındaki kazan yavaş yavaş inlemeyi ve öğürmeyi bırakmış, sessizleşmiş, pırıl pırıl ve tertemiz olmuş.

"Ee, kazan?" demiş titreyen büyücü, güneş yükselirken.

Kazan geğirerek, içine atılan o tek terliği geri fırlatmış ve büyücünün onu pirinç ayağına giydirmesine izin vermiş. İkisi birlikte büyücünün evine doğru yola koyulmuşlar ve kazanın ayak sesi nihayet azalmış. Fakat o günden sonra, kazan terliğini çıkarır da yeniden zıplamaya başlar korkusuyla büyücü de tıpkı babası gibi köylülere yardım etmiş.

Albus Dumbledore'un "Büyücü ve Zıplayan Kazan" Üzerine Notları

İyi kalpli ihtiyar bir büyücü, katı yürekli oğluna civar köydeki Muggle'ların acılarını tatmasını sağlayarak bir ders vermeye karar verir. Genç büyücü vicdana gelir ve sihrini, sihirle uğraşmayan komşularının yararına kullanmayı kabul eder. Basit ve yürek ısıtan bir masal, diye düşünebilir insan – ki düşünürse naif bir alık olduğunu göstermiş olur. Muggle seven bir babayı Muggle'lardan nefret eden bir oğuldan daha üstün gösteren bir Muggle-yanlısı hikâye, ha? Bu masalın özgün halinin herhangi bir kopyasının genellikle atıldığı alevlerden kurtulmuş olması bile başlı başına hayret verici.

Beedle, Muggle'lara yönelik kardeşçe sevgi besleme mesajı vererek pek de zamanın ruhuna uygun davranmıyordu aslında. On beşinci yüzyılın başlarında Avrupa'nın dört bir yanında cadılara ve büyücülere yönelik zulüm giderek artıyordu. Sihirle uğraşan topluluk, komşu Muggle'ın hasta domuzuna büyü yapmayı teklif etmenin insanın kendi cenaze ateşi için gidip kendi arzusuyla çıra getirmesine eşdeğer olduğunu düşünüyordu, bunun için gayet geçerli nedenleri de vardı üstelik.[1] "Bırakın Muggle'lar biz olmadan başlarının çaresine baksınlar!" haykırışları yükseliyordu, büyücüler sihir yapamayan kardeşlerinden giderek daha da uzaklaşırken. Bu gidişat 1689'da Uluslararası Büyücülük Sırları Nizamnamesi'yle sonuçlandı ve büyücü türü gönüllü olarak yeraltına kaydı.

Ancak nihayetinde çocuk çocuktur, o garip Zıplayan Kazan zihinlerine kendini kazımıştı bir kere. Çözüm Muggle taraftarı dersi atıp siğilli kazanı tutmaktı. Böylece on altıncı yüzyılın ortasına gelindiğinde büyücü aileleri arasında, hikâyenin çok farklı bir biçimi yaygın dolaşımdaydı. Bu değiştirilmiş öyküde Zıplayan Kazan masum bir büyücüyü ellerinde meşaleler ve tırmıklarla kapısına dayanan komşularından koruyor, onları büyücünün kulübesinden kovalıyor, yakalıyor ve bir lokmada

1 Elbette hakiki cadılar ve büyücüler kazıktan, cellat kütüğünden ve ipten kurtulma konusunda hayli ustaydı ("Babbitty Rabbitty ve Kıkırdayan Kütüğü" üzerine açıklamalarda Lisette de Lapin hakkındaki yorumlarıma bakın). Ancak, bazı ölümler de olmadı değil: Sir Nicholas de Mimsy-Porpington (sağlığında saray maiyetinden bir büyücü, ölümünde ise Gryffindor Kulesi'nin hayaleti) bir zindana kilitlenmeden önce asası elinden alınmıştı, o yüzden de sihir yoluyla kendini idamından kurtaramadı. Büyücü aileleri daha çok, sihirlerini kontrol edememeleri sebebiyle Muggle cadı avcıları tarafından daha kolay fark edilen ve onların saldırılarına daha açık olan yaşı küçük üyelerini kaybediyordu.

yutuyordu. Hikâyenin sonunda, Kazan komşuların çoğunu yutmuşken, geriye kalan az sayıda köylü, büyücüye artık onu rahat bırakacakları, istediği gibi sihir yapabileceği konusunda söz veriyordu. Bunun karşılığında o da Kazan'a kurbanlarını geri vermesini söylüyor, Kazan da şöyle bir öğürüp ta derinlerinden, hafifçe ezilmiş köylüleri çıkarıyordu. Bugün bile hâlâ bazı büyücü çocuklarına (genellikle Muggle karşıtı) aileleri tarafından hikâyenin bu şekli anlatılıyor ve bu çocuklar öykünün özgün aslını okuduklarında -tabii okurlarsa- çok şaşırıyorlar.

Ancak daha önce de ima ettiğim üzere, "Büyücü ve Zıplayan Kazan"ın kızgınlığa yol açmasının tek sebebi içerdiği Muggle-taraftarı duygular değildi. Cadı avları giderek daha da vahşi bir hal alırken sihirle uğraşan aileler kendilerini ve yakınlarını korumak için saklama büyüleri yaparak ikili hayatlar sürmeye başladılar. On yedinci yüzyıla gelindiğinde Muggle'larla dostluk etme tercihinde bulunan her cadı ve büyücü kuşku uyandırır oldu, hatta kendi toplumu tarafından dışlandı. Muggle taraftarı cadılara ve büyücülere yönelik çok sayıda hakaret arasında (ki "Bulanıktutan", "Tezekyalayan" ve "Pislikemen" gibi pek nağmeli lakaplar bu dönemden kalmadır) zayıf ya da kalitesiz büyüye sahip olma suçlaması da vardı.

Muggle karşıtı bir süreli yayın olan *Sihirbaz Savaş-*

ta'nın editörü Brutus Malfoy gibi dönemin nüfuzlu büyücüleri, bir Muggleseverin olsa olsa bir Kofti kadar sihirli olduğu klişesini oturttu.[2] 1675'te, Brutus şöyle yazmıştı:

> *Şunu büyük bir kesinlikle söyleyebiliriz: Muggle toplumuna yönelik bir sevgi gösteren her büyücü kıt zekâya sahiptir, sihri o kadar cılız ve zavallıdır ki ancak Muggle domuz çobanlarının arasında kendini üstün hissedebilmektedir.*
>
> *Sihirle uğraşmayan topluluğa yönelik bir zaaf kadar kesin bir sihir zayıflığı emaresi yoktur.*

Bu önyargı, dünyanın en parlak büyücülerinden bazılarının[3] yaygın tabirle "Mugglesever" olduğu yolundaki çok kuvvetli deliller karşısında, zamanla kayboldu.

"Büyücü ve Zıplayan Kazan"a yönelik son itiraz ise bugün hâlâ bazı çevrelerde canlılığını koruyor. Bu itirazı belki de en iyi özetleyen kişi, kötü şöhretli *Mantarzehri Masallar*'ın yazarı Beatrix Bloxam'dı (1794-1910). Mrs. Bloxam'a göre *Ozan Beedle'ın Hikâyeleri*, "ölüm, hastalık, kan, kötü sihir, rahatsız karakterler ve en iğrencinden bedensel akıntılar ve döküntüler gibi son derece korkunç

2 [Kofti, sihir kullanabilen anne ve babadan doğan ama sihir gücüne sahip olmayan kişidir. Ender görülen bir durumdur. Muggle'lardan doğma cadılar ve büyücülere çok daha sık rastlanır. J. K. R.]

3 Bendeniz gibi.

konulara yönelik sağlıksız takıntıları" olarak tanımladığı sebepten ötürü çocuklara zararlıydı. Mrs. Bloxam, Beedle'ınkilerden birkaçı da dahil olmak üzere çeşitli eski hikâyeleri aldı ve kendi ideallerine göre yeniden yazdı – bu idealleri de "minik meleklerimizin saf zihinlerini sağlıklı, mutlu düşüncelerle doldurmak, onların tatlı uykularını kötü düşlerden uzak tutmak ve o pek kıymetli çiçeklerini, masumiyetlerini korumak" şeklinde ifade ediyordu.

Mrs. Bloxam'ın "Büyücü ve Zıplayan Kazan"a verdiği saf ve kıymetli yeni biçimin son paragrafı şöyle:

> *Minik altın kazan küçücük gül rengi ayak parmaklarının üstünde neşeyle dans etmeye başlamış – hoppacık hoppacık hop! Wee Willykins bütün cici kızların uf olmuş kurnuşlarını iyileştirmiş, minik kazan öyle mutluymuş ki Wee Willykins ve cici kızlar için ağzına kadar şekerlemeyle dolmuş!*
>
> *"Ama sakın sütdişlerinizi fırçalamayı unutmayın!" diye bağırmış kazan.*
>
> *Ve Wee Willykins hoppacık-kazanı öpüp kucaklamış, artık hep cici kızlara yardım etmeye, bir daha da asla öyle huysuz ihtiyarcık olmamaya söz vermiş.*

Mrs. Bloxam'ın hikâyesi nesillerdir büyücü çocuklarında aynı etkiyi uyandırıyor: önü alınamaz bir öğürme, hemen ardından da kitabın onlardan alınıp unufak edilene kadar ezilmesi talebi.

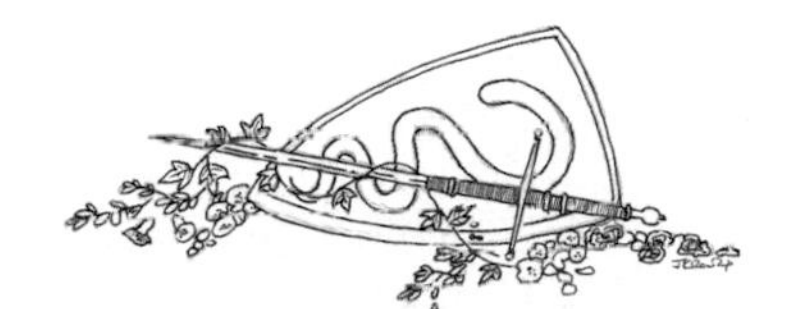

2

İYİ KADER ÇEŞMESİ

Bir tepenin üstünde büyülü bir bahçede, yüksek duvarlarla çevrili ve güçlü büyülerle korunan İyi Kader Çeşmesi akarmış.

Yılda bir kez, en uzun günde gündoğumuyla günbatımı arasındaki saatlerde, tek bir talihsiz kişiye büyük mücadeleler verip Çeşme'ye ulaşma, onun sularında yıkanma ve ebediyyen İyi Kader sahibi olma fırsatı verilirmiş.

O günlerde, şafaktan önce bahçenin duvarlarına ulaşmak için krallığın dört bir yanından insanlar gelirmiş. Kadını erkeği, zengini yoksulu, genci yaşlısı, sihir kullananı ve kullanmayanı karanlıkta toplanır, her biri de bahçeye girme şansını kazananın kendisi olacağını ümit edermiş.

Her biri ayrı bir kedere sahip üç cadı, kalabalığın en

dışlarında karşılaşmış ve gündoğumunu beklerken birbirlerine acılarını anlatmışlar.

Adı Asha olan ilki, hiçbir Şifacı'nın iyileştiremediği bir hastalıktan mustaripmiş. Çeşme'nin rahatsızlıklarını geçireceğini ve ona uzun ve mutlu bir yaşam bahşedeceğini umuyormuş.

İkincisinin adı Altheda'ymış, kötü bir büyücü elinden evini, altınlarını ve asasını almış. Çeşme'nin onu hem güçsüzlüğünden hem de yoksulluğundan kurtarabileceğini umuyormuş.

Amata adındaki üçüncüsüyse çok sevdiği bir erkek tarafından terk edilmiş ve kalbindeki yaranın bir daha asla iyileşmeyeceğini düşünüyormuş. Çeşme'nin onu acısından ve özleminden kurtarmasını umuyormuş.

Üç kadın birbirlerine acımışlar ve eğer şans onların yüzüne gülerse, birleşip Çeşme'ye birlikte ulaşmaya çalışma kararı vermişler.

Gökyüzü güneşin ilk ışıklarıyla yırtılmış ve duvarda küçük bir yarık açılmış. Kalabalık ileri atılmış, her biri çığlık çığlığa Çeşme'nin takdisinin kendisinin hakkı olduğunu haykırıyormuş. Ötedeki bahçeden sarmaşıklar, duvara doğru yüklenen yığının arasından uzanmış ve ilk cadının, Asha'nın etrafına dolanmış. Asha ikinci cadı Altheda'nın bileğini yakalamış, o da üçüncü cadı Amata'nın cüppesini sıkı sıkı kavramış.

Ve Amata, iskelet gibi bir atın üstünde oturan, kederli mi kederli görünen bir şövalyenin zırhına takılmış.

Sarmaşıklar üç cadıyı duvardaki yarıktan içeri çekmişler, şövalye de atından koparılıp onların arkasından sürüklenmiş.

Hayal kırıklığına uğrayanların hiddet dolu feryatları sabah havasında yükselmiş, ama bahçe duvarları bir kez daha mühürlenirken azalıp dinmişler.

Asha ve Altheda, kazara yanlarında şövalyeyi de getiren Amata'ya kızmışlar.

"Çeşme'de sadece bir kişi yıkanabiliyor! Zaten bunun aramızdan hangisi olacağına karar vermek yeterince zorken, bir kişi daha eklendi!"

Duvarların dışında Sör Bahtsız olarak bilinen şövalye onların cadı olduğunu anlamış ve kendisi sihir yapamadığından, ayrıca da atlı mızrak dövüşünde, kılıç düellosunda ya da sihir kullanmayanların sivrilmesini sağlayan başka herhangi bir şeyde çok becerikli olmadığından Çeşme'ye ulaşma yarışında üç kadını alt edemeyeceğine kanaat getirmiş. O yüzden de çekilmek ve duvarın dışına dönmek şeklindeki niyetini açıklamış.

Bunun üzerine Amata da kızmış.

"Yüreksiz!" diye çıkışmış ona. "Çek kılıcını, Şövalye, çek de hedefimize ulaşmamıza yardım et!"

Böylece üç cadı ve perişan şövalye, güneşin aydınlattığı yolların her iki yanında da nadide bitkilerin, meyvelerin ve çiçeklerin yetiştiği büyülü bahçede ilerlemeye başlamışlar. Üstünde Çeşme'nin durduğu tepenin eteğine varıncaya kadar herhangi bir engelle karşılaşmamışlar.

Ancak orada, tepenin tabanının etrafına sarılmış duran devasa bir beyaz Solucan varmış, şişkin ve kör. Yaklaştıklarında iğrenç yüzünü onlara dönmüş ve şu sözcükleri söylemiş:

"Bana çektiğin acının ispatını öde."

Sör Bahtsız kılıcını çekip canavarı öldürmeye çalışmış ama kılıcı kırılmış. Sonra Altheda Solucan'a taş atmış, Asha ile Amata da onu kontrol altına alacak ya da kendinden geçirecek her tür büyüyü denemişler ama onların asalarının gücü de arkadaşlarının taşından ya da şövalyenin çeliğinden daha etkili olmamış: Solucan, geçmelerine izin vermiyormuş.

Güneş gökte yükselmiş de yükselmiş ve Asha ümitsizliğe kapılarak ağlamaya başlamış.

Bunun üzerine muazzam Solucan yüzünü onun yüzüne koymuş ve yanaklarındaki gözyaşını içmiş. Susuzluğu dinen Solucan sürünerek uzaklaşmış ve yerdeki bir deliğe girip kaybolmuş.

Solucan'ın ortadan kayboluşuna sevinen üç cadı ve şövalye, öğleden önce Çeşme'ye ulaşacaklarına emin, tepeyi tırmanmaya başlamışlar.

Ancak dik yamacın ortasında, karşılarına yere kazınmış sözcükler çıkmış.

Bana emeğinin meyvesini öde.

Sör Bahtsız tek sikkesini çıkarmış ve çimenli tepe yamacının üstüne koymuş, fakat sikke yuvarlanıp gözden kaybolmuş. Üç cadı ve şövalye tırmanmaya devam etmiş ama saatlerce yürümelerine rağmen bir adım bile ilerleyememişler; zirve hiç yaklaşmamış ve yazı hâlâ önlerinde, toprağın üzerinde duruyormuş.

Güneş başlarının üzerinden geçip uzaktaki ufka doğru alçalırken moralleri bozulmuş ama Altheda hepsinden daha hızlı, daha gayretli yürüyor ve yamaçtan yukarı bir adım bile yol alamasa da diğerlerini de onun gibi yapmaya teşvik ediyormuş.

"Cesaret, dostlar, boyun eğmeyin!" diye haykırmış, alnındaki teri silerek.

Işıldayan ter damlaları toprağa düştüğünde yollarını kapayan yazı kaybolmuş ve bir kez daha yukarı doğru ilerleyebildiklerini görmüşler.

Bu ikinci engelin ortadan kalkmasından memnun halde, ellerinden geldiğince hızlı bir şekilde zirveye doğru çıkmaya başlamışlar ve en sonunda, çiçeklerden ve ağaçlardan oluşan bir çardakta kristal gibi ışıldayan Çeşme'yi görmüşler.

Ancak Çeşme'ye ulaşamadan, zirvenin etrafını dolaşan ve yollarını kapatan bir dereye gelmişler. Berrak suyun derinliklerinde pürüzsüz bir taş duruyormuş ve taşın üzerinde şöyle yazıyormuş:

Bana geçmişinin hazinesini öde.

Sör Bahtsız kalkanının üzerinde yüzerek karşıya geçmeye çalışmış ama kalkan batmış. Üç cadı onu sudan çekip çıkarmışlar, sonra da kendileri derenin üzerinden atlamaya çalışmışlar ama dere geçmelerine izin vermiyor, güneş ise her an gökte daha da alçalıyormuş.

Bunun üzerine taştaki yazının anlamını düşünmeye başlamışlar ve ilk Amata anlamış. Asasını çıkarmış, kaybolmuş sevgilisiyle geçirdiği mutlu zamanlara dair tüm anılarını zihninden çekip çıkarmış ve onları çağlayan sulara dökmüş. Dere beraberinde anıları sürükleyip götürmüş ve yüzeyde atlama taşları belirmiş. Üç cadıyla şövalye sonunda dereyi aşıp tepenin zirvesine geçebilmişler.

Çeşme önlerinde, ömürlerinde görmedikleri kadar nadide ve güzel bitkilerle çiçeklerin arasında parıldıyormuş. Gök alev alev bir yakut rengi almış. Aralarından hangisinin sularda yıkanacağına karar verme vakti gelmiş artık.

Ancak onlar kararlarını veremeden, narin Asha yere kapaklanmış. Zirveye tırmanışlarından bitap düşmüş, ölmeye yakınmış.

Üç arkadaşı onu Çeşme'ye taşıyacaklarmış ama Asha ölümcül acılar içindeymiş ve kendisine dokunmamaları için onlara yalvarmış.

Bunun üzerine Altheda çabucak en çok faydalı olabileceğini düşündüğü bitkileri toplamış ve onları Sör Bahtsız'ın su kabında karıştırıp iksiri Asha'nın ağzından içeri dökmüş.

Asha anında ayaklanmış. Dahası, feci hastalığının bütün belirtileri kaybolmuş.

"İyileştim!" diye haykırmış. "Çeşme'ye ihtiyacım yok artık – Altheda yıkansın!"

Fakat Altheda önlüğünde başka bitkiler toplamakla meşgulmüş.

"Eğer bu hastalığı tedavi edebiliyorsam, bol bol altın kazanacağım! Amata yıkansın!"

Sör Bahtsız eğilip Amata'ya Çeşme'ye doğru ilerlemesini işaret etmiş ama Amata başını iki yana sallamış.

Dere sevgilisine dair tüm pişmanlığını alıp götürmüş ve Amata artık onun zalim ve sadakatsiz olduğunu görebiliyormuş, ondan kurtulmuş olmak yeterince mutluluk vericiymiş zaten.

"Efendim, bütün o yiğitliğiniz karşılığında bir ödül olarak, siz yıkanmalısınız!" demiş Sör Bahtsız'a.

Böylece şövalye zırhı tangırdaya tangırdaya güneşin son ışıklarında ilerlemiş ve yüzlerce kişinin arasından seçildiğine hayretler ederek, şansına şaşarak İyi Kader Çeşmesi'nde yıkanmış.

Güneş ufukta batarken Sör Bahtsız suların içinden zafer gururuyla çıkmış ve paslı zırhının içinde kendini ömründe gördüğü en iyi kalpli ve en güzel kadın olan Amata'nın ayaklarına atmış. Başarısının heyecanıyla taşkın bir ruh hali içinde, ondan kendisine kalbini açmasını ve elini vererek evlenme teklifini kabul etmesini istemiş. En az onun kadar sevinçli olan Amata ise her ikisini de hak eden bir erkek bulduğunun farkına varmış.

Üç cadı ve şövalye beraberce, kolkola tepeden aşağı inmişler, dördü de upuzun, mutluluk dolu hayatlar sürmüşler. Hiç biri Çeşme'nin sularının herhangi bir büyüsü olmadığını bilmemiş, hiçbiri bundan şüphelenmemiş.

Albus Dumbledore'un "İyi Kader Çeşmesi" Üzerine Notları

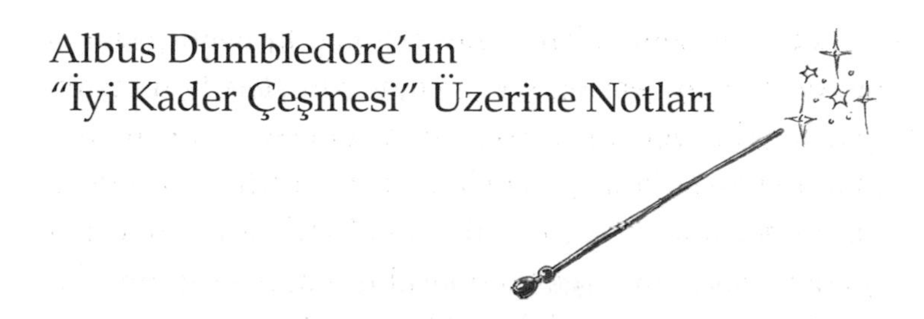

"İyi Kader Çeşmesi" öteden beri gözde bir hikâyedir, öyle ki Hogwarts'taki kutlamalara bir Noel pandomimi eklemeye yönelik yegâne girişimin konusu bile olmuştur.

Amatör tiyatroya hevesle bağlı olan o zamanki Bitkibilim ustamız, Profesör Herbert Beery[4], okul görevlileri ve öğrenciler için bir Noel sürprizi olarak bu pek sevilen çocuk masalının bir uyarlamasını yapmayı teklif etti. Ben o zamanlar genç bir Biçim Değiştirme hocasıydım ve Herbert bana "özel efektler" işini verdi ki bu işe tamamen işlevsel bir İyi Kader Çeşmesi ile minyatür bir çimenli tepe sağlamak da dahildi. Üçü kadın biri erkek dört kahramanımız bu tepeyi çıkıyor gibi görünecek, o arada tepe de yavaş yavaş sahnenin içine doğru gömülüp gözden kaybolacaktı.

4 Profesör Beery daha sonra BSSO'da (Büyücülük Sahne Sanatları Okulu) ders vermek üzere Hogwarts'tan ayrılmış ve bana itiraf ettiği üzere, hikâyenin şanssızlık getirdiği inancıyla orada bu öykünün giderek artan icralarına karşı ciddi bir hoşnutsuzluk beslemiştir.

Hiç böbürlenmeden söyleyebilirim ki hem Çeşmem hem de Tepem kendilerine verilen görevleri tam bir iyi niyetle yerine getirdiler. Ne var ki aynı şey oyuncu kadrosunun geri kalanı için söylenemez. Sihirli Yaratıkların Bakımı hocamız Profesör Silvanus Kettleburn'ün sağladığı dev "Solucan"ın gariplikleri bir yana, insan unsuru gösteri adına tam bir felaket oldu. Yönetmenliği üstlenen Profesör Beery burnunun dibindeki karmaşık gönül işlerinden tehlikeli bir şekilde bihaberdi. Amata'yı ve Sör Bahtsız'ı oynayan öğrencilerin perde kalkmadan bir saat öncesine kadar sevgili olduklarını, o anda ise "Sör Bahtsız"ın ilgisini ve sevgisini "Asha"ya kaydırdığını bilmiyordu.

İyi Kader peşindeki karakterlerimizin asla Tepe'nin zirvesine ulaşamadıklarını söylemek yeterli olacaktır herhalde. Perde daha kalkar kalkmaz Profesör Kettleburn'ün "Solucan"ı –ki şimdi Devleştirme Büyüsü yapılmış bir Külbükül[5] olduğu ortaya çıkmıştı– kıvılcımlar ve tozlar içinde infilak ederek Büyük Salon'u dumanla ve dekor parçacıklarıyla doldurdu. Tepemin eteğine bıraktığı devasa iki alevli yumurta, ahşap yer döşemelerini tutuştururken "Amata" ve "Asha" birbirlerine saldırdılar ve

5 Bu tuhaf yaratığın eksiksiz bir tanımı için *Fantastik Canavarlar Nelerdir, Nerede Bulunurlar?*'a bakın. Bu yaratığın tahta kaplamalı bir odaya asla getirilmemesi, üzerine de asla Devleştirme Büyüsü yapılmaması gerekir.

öyle bir hiddetle düelloya koyuldular ki Profesör Beery de ateş hattında kaldı. Sahnedeki yangın bütün mekânı sarmaya doğru giderken, okul görevlileri Salon'u boşaltmak zorunda kaldı. Gecenin eğlencesi tıklım tıklım dolu bir revirle noktalandı; yakıcı ahşap dumanının Büyük Salon'dan çıkması birkaç ay sürdü, Profesör Beery'nin kafasının normal boyutlarına dönmesi ve Profesör Kettleburn'ün deneme süresinin sona ermesiyse daha da uzun.[6] Müdür Armando Dippet gelecekte pandomimleri toptan yasakladı, ki Hogwarts bu tiyatrosuzluk geleneğini bugün de gururla yaşatıyor.

Dramatik fiyaskomuz bir yana, "İyi Kader Çeşmesi" muhtemelen Beedle'ın en popüler hikâyelerinden biri. Bununla birlikte tıpkı "Büyücü ve Zıplayan Kazan" gibi, aleyhinde konuşanlar da yok değil. Birden fazla anne ya da baba bu masalın Hogwarts kütüphanesinden çıkarılmasını istedi. Tesadüf eseri bunlar arasında Brutus Malfoy'un neslinden biri ve eskiden Hogwarts Yönetim Kurulu üyesi olan Lucius Malfoy da vardı. Mr. Malfoy

6 Profesör Kettleburn Sihirli Yaratıkların Bakımı hocası olarak görevi süresince tam altmış iki deneme süresi atlatmıştır. Hogwarts'ın benden önceki müdürü Profesör Dippet'la ilişkisi her zaman gergindi, Profesör Dippet onu oldukça pervasız buluyordu. Gerçi ben Müdür olduğumda Profesör Kettleburn hayli yumuşamıştı ama yine de başlangıçtaki uzuvlarından sadece bir buçuğu geriye kalmış biri olarak hayatı daha sakin bir tempoda yaşamak zorunda kaldığı şeklinde alaycı bir bakış açısı benimseyenler de her zaman vardı.

öykünün yasaklanmasını talep eden dilekçesinde şunları yazmıştı:

> *Kurgu olsun olmasın, büyücülerle Muggle'ların soylarının karışmasına yer veren her eser yasaklanmalı, Hogwarts kütüphanesinden çıkarılmalıdır. Oğlumun büyücü-Muggle evliliğini destekleyen öyküler okuyarak etki altında kalıp da soyunun saflığını kirletmesini istemiyorum.*

Kitabı kütüphaneden çıkarmayı reddedişim, Yönetim Kurulu'nun büyük bölümünden destek görmüştü. Kararımı açıklamak üzere Mr. Malfoy'a yazdım:

> *Güya safkan aileler, sözde saflıklarını aile ağaçlarındaki Muggle'ları ve Muggle'lardan doğma olanları reddederek, sürgün ederek ya da onlar hakkında yalan söyleyerek sürdürüyorlar. Sonra da inkâr ettikleri gerçekleri ele alan eserleri yasaklamamızı isteyerek ikiyüzlülüklerini bizim üzerimize yıkmaya çalışıyorlar. Kanı bir Muggle'ınkiyle karışmamış olan tek bir cadı ya da büyücü yoktur, bu yüzden de bu konuyu ele alan eserleri öğrencilerimizin bilgi haznesinden*

çıkarmayı hem mantıksız hem de ahlakdışı buluyorum.[7]

Bu mektuplaşma Mr. Malfoy'un beni Hogwarts Müdürü konumundan çıkartma mücadelesinin; benim ise onu Lord Voldemort'un Gözde Ölüm Yiyen'i konumundan çıkartma mücadelemin başlangıcını oluşturdu.

7 Bu cevabımın üzerine Mr. Malfoy'dan birkaç mektup daha geldi; ancak bunlar büyük ölçüde benim akıl sağlığım, annemle babam ve hijyenim üzerine aşağılayıcı sözlerden oluştuğu için bu yorumla ilişkileri çok az.

3

SİHİRBAZIN KILLI KALBİ

Bir zamanlar yakışıklı, zengin ve yetenekli, genç bir sihirbaz varmış ve bu sihirbaz, arkadaşlarının âşık olunca budalaca davrandığını, hoplayıp zıplayarak dolaştıklarını ve ikide bir üstlerini başlarını düzelttiklerini, iştahları ile vakarlarını kaybettiklerini gözlemlemiş. Genç sihirbaz asla böyle zaafların kurbanı olmama kararı almış ve bağışıklık kazanmak için Karanlık Sanatlar'dan yararlanmış.

Onun sırrından habersiz olan ailesi, sihirbazı bu kadar mesafeli ve soğuk görünce gülmüşler.

"Hepsi değişir," diye kehanette bulunmuşlar, "hele bir kız beğensin!"

Ama genç sihirbazın beğenisini kazanan çıkmamış. Kibirli yüzü pek çok kızın ilgisini çektiği ve onu hoşnut etmek için en incelikli sanatlarını kullandıkları halde,

hiçbirisi kalbine dokunmayı başaramamış. Sihirbaz, kayıtsızlığının ve bunu mümkün kılan basiretinin zevkini çıkarmış.

Gençliğin ilk tazeliği azalmış ve sihirbazın akranları evlenmeye başlamış, sonra da çocuk sahibi olmuşlar.

Çevresindeki genç anne-babaların maskaralıklarını izlerken, "Kalpleri kabuklaşmış olmalı," diye içten içe alay etmiş, "bu miyavlayan veletlerin talepleriyle büzüşmüş olmalı!"

Bir kez daha kendini daha önceki seçiminin bilgeliği için tebrik etmiş.

Bu arada, sihirbazın yaşlı annesiyle babası ölmüş. Oğulları yaslarını tutmamış; tam tersine, bunun kendisi için bir lütuf olduğunu düşünmüş. Şimdi şatolarında tek başına hüküm sürüyormuş. En büyük hazinesini en derin zindana aktardığı için, kendini rahat ve bolluk içinde bir hayata vermiş, çok sayıda hizmetkârının tek amacı, onu rahat ettirmekmiş.

Sihirbaz, görkemli ve dertsiz yalnızlığını gören herkes için sonsuz bir haset hedefi olacağından eminmiş. Bu yüzden de uşaklarından iki tanesini bir gün efendileri hakkında konuşurken duyunca öfkesi ve hüsranı çok şiddetli olmuş.

İlk hizmetkâr, onca servet ve güce rağmen gene de kimsenin sevmediği sihirbaza acıdığını ifade etmiş.

Ama arkadaşı dalga geçerek bunca altına ve kendine ait saray gibi bir şatoya sahip bir erkeğin neden evlenmek için bir kadını cezbedemediğini sormuş.

Bu sözler, onları dinleyen sihirbazın gururuna korkunç bir darbe indirmiş.

Hemen bir eş almaya ve bu eşin herkesinkinden üstün bir eş olmasına karar vermiş. Şaşırtıcı bir güzelliği olmalı, onu gören her erkekte haset ve arzu duyguları uyandırmalıymış; sihirli soydan gelmeliymiş ki çocuklarına seçkin sihir yetenekleri miras kalsın; ve en azından onunki kadar serveti olmalıymış ki, konforlu hayatı, ev halkına eklenenlere rağmen güvence altında kalsın.

Böyle bir kadın bulmak sihirbazın elli yılını alabilirmiş ama işe bakın ki, onu arama kararı verdiğinin tam ertesi günü, her isteğine uygun bir kız, akrabalarını ziyaret etmek için civara gelmiş.

Son derece yetenekli bir cadıymış, çok miktarda altını varmış. Güzelliği, onu gören her erkeğin kalbini çelecek bir güzellikmiş; yani, biri hariç her erkeğin. Sihirbaz'ın kalbi hiçbir şey hissetmemiş. Gene de, aradığı hazine oymuş, bu nedenle de onuna kur yapmaya başlamış.

Sihirbazın davranışlarındaki değişikliği fark eden herkes hayret etmiş ve kıza, yüz kişinin başaramadığını kendisinin başardığını söylemişler.

Genç kadın, sihirbazın ilgisinden hem çok etkilenmiş hem de bunu itici bulmuş. Onun iltifatlarının sıcaklığının gerisinde yatan soğukluğu seziyormuş ve daha önce hiç bu kadar tuhaf ve mesafeli bir adamla karşılaşmamışmış. Ancak akrabaları onlarınkinin çok dengi dengine bir beraberlik olduğunu düşünüyormuş ve bunu ilerletme hevesiyle, sihirbazın kız onuruna vereceği büyük şölen için davetini kabul etmişler.

Masa, en iyi şaraplar, en muhteşem yemeklerle dolu gümüş ve altınla yüklüymüş. Saz şairleri ipek telli lavtaları dımbırdatmışlar, efendilerinin hiç hissetmediği bir aşkın şarkısını söylemişler. Kız, alçak sesle konuşan ve gerçek anlamları hakkında hiçbir fikri olmaksızın, şairlerden çaldığı sevecenlik kelimeleri kullanan sihirbazın yanında, bir tahtta oturuyormuş.

Kız dinlemiş, şaşırmış ve sonunda cevap vermiş: "İyi konuşuyorsun, Sihirbaz. İlgin beni çok memnun ederdi, eğer bir kalbin olduğunu düşünseydim!"

Sihirbaz gülümsemiş ve ona bundan endişe duymaması gerektiğini söylemiş. Kendisini izlemesini tembih ederek önüne düşüp onu şölenden çıkarmış, aşağı, en büyük hazinesini sakladığı kilitli zindana götürmüş.

Burada, büyülenmiş kristal bir tabut içinde, sihirbazın çarpan kalbi duruyormuş.

Uzun süredir gözler, kulaklar ve parmaklarla bağlantısı olmadığı için, hiçbir güzelliğe ya da müzikal sese, ipeksi tene kapılmamışmış. Kız onu görünce dehşete düşmüş, çünkü kalp büzüşmüş haldeymiş ve uzun siyah kıllarla kaplıymış.

"Ah, ne yaptın?" diye dövünmüş. "Onu ait olduğu yere koy, yalvarırım!"

Kızı memnun etmek için bunun gerekli olduğunu anlayan sihirbaz asasını çekmiş, kristal tabutun kilidini açmış, kendi göğsünü yarmış ve kıllı kalbi yeniden, vaktiyle doldurduğu boşluğa koymuş.

"Şimdi şifa buldun ve gerçek aşkı öğreneceksin!" diye haykırmış kız ve ona sarılmış.

Onun yumuşacık beyaz kollarının dokunuşu, kulağında soluğunun sesi, altın rengi gür saçlarının kokusu: bütün bunlar yeni uyanmış kalbi mızrak gibi delmiş. Ama kalp uzun sürgünü sırasında tuhaflaşmış, mahkûm edildiği karanlıkta kör ve vahşi bir hal almış. İştahı artmış ve sapkınlaşmış.

Şölendeki konuklar, ev sahibi ile kızın yokluğunu fark etmişler. Önce dert etmemişler ama saatler geçince endişeye kapılmışlar ve sonunda şatoyu aramaya başlamışlar.

Nihayet zindanı bulmuşlar. Orada onları korkunç bir manzara bekliyormuş.

Kız yerde göğsü kesilip açılmış halde, ölü yatıyormuş. Yanında ise deli sihirbaz çömelmiş, kanlı elinde tuttuğu, yalayıp okşadığı kıpkırmızı kalbi kendisininkiyle değiştirmeye yemin ediyormuş.

Öteki elinde asasını tutmuş, kendi büzüşmüş, kıllı kalbi göğsünden çıksın diye ona dil döküyormuş. Ancak kıllı kalp ondan güçlüymüş ve sihirbazın duyuları üzerindeki hâkimiyetinden vazgeçmeyi de, onca zamandır içine kitlendiği tabuta dönmeyi de reddediyormuş.

Konuklarının dehşet dolu bakışları altında sihirbaz asasını bir yana atmış ve eline gümüş bir hançer geçirmiş. Asla kendi kalbinin hükmüne girmemeye and içerek, onu göğsünden çekip çıkarmış.

Sihirbaz bir an için, iki elinde de sıkı sıkı tuttuğu birer kalple eğilmiş, sonra da kızın bedeni üstüne yığılıp ölmüş.

Albus Dumbledore'un "Sihirbazın Kıllı Kalbi" Üzerine Notları

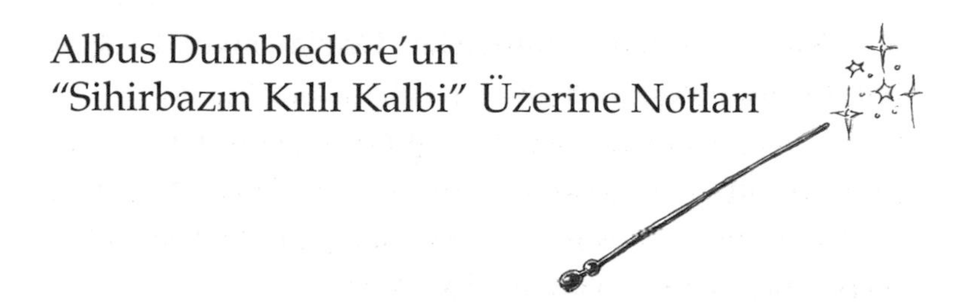

Daha önce de gördüğümüz gibi Beedle'ın ilk iki hikâyesi cömertlik, hoşgörü ve sevgi temaları yüzünden eleştirilmişti. "Sihirbazın Kıllı Kalbi" ise ilk yazıldığından bu yana geçen yüzlerce yıl içinde değiştirilmiş ya da fazla eleştirilmiş gibi görünmüyor; benim daha sonra özgün eski yazılardan okuduğum hikâye, annemin bana anlattığı hikâyenin neredeyse tıpatıp aynıydı. Bu bir yana, "Sihirbazın Kıllı Kalbi" Beedle'ın hikâyeleri arasında açık farkla en dehşet verici olanı ve birçok anne-baba, çocuklarının kâbus görmeyecek kadar büyüdüklerini düşünmedikçe, bu hikâyeyi onlarla paylaşmaz.[8]

8 Kendi güncesine göre, Beatrix Bloxam, bu hikâyeyi teyzesi kendisinden yaşça büyük kuzenlerine okurken duydu ve etkisinden hiç kurtulamadı. "Küçük kulağım, kazara denebilecek şekilde, anahtar deliğine yapıştı. Düşünüyorum da, korkudan felç olmuş olmalıyım, çünkü iğrenç hikâyenin tamamını istemeden duymuş oldum, tabii üstüne üstlük eniştem Nobby, oralı bir cadaloz ve bir torba Sıçrayan Soğan'ın fevkalade tatsız macerasının berbat ayrıntılarını da. Bu şok az daha beni öldürüyordu; bir hafta yatakta kaldım ve öyle derin bir

Öyleyse bu tüyler ürpertici hikâye niye varlığını sürdürmüş? Ben, "Sihirbazın Kıllı Kalbi"nin yüzyıllar boyunca el değmeden kalmış olmasını, hepimizin derinliklerindeki karanlıktan söz etmesine bağlıyorum. Sihrin en büyük ve en az kabul edilen akıl çelici taraflarından birine hitap ediyor: yaralanmazlık arayışı.

Elbette ki böyle bir arayış budalaca bir fanteziden farklı değildir. Hayattaki hiçbir erkek ya da kadın, ister sihirli olsun ister olmasın, fiziksel, akli ya da duygusal, incinmenin bir biçiminden kaçınamamıştır. Acı çekmek nefes almak kadar insanidir. Gene de biz büyücüler, varlığın doğasını istediğimiz gibi eğebileceğimiz fikrine pek eğilimli görünüyoruz. Örneğin, bu hikâyedeki genç sihirbaz,[9] âşık

travma geçirdim ki, sonunda sevgili babam, sadece benim iyiliğimi düşünerek yatma vaktinde kapıma bir Yapıştırma Büyüsü koyana kadar her gece uykumda aynı anahtar deliğine yürüme alışkanlığı edindim." Anlaşılan Beatrix "Sihirbazın Kıllı Kalbi"ni çocukların hassas kulaklarına uygun hale getirmenin bir yolunu bulamamış, çünkü *Mantarzehri Masallar* için onu asla yeniden yazmamış.

9 ["sihirbaz" terimi çok eski bir terimdir. Bazen "büyücü" yerine kullanılsa da, aslında düello ve her tür savaş sihri konusunda bilgili birini belirtmek için kullanılırdı. Ayrıca, biraz da Muggle'ların zaman zaman cesurca başarılar için şövalye yapılması gibi, kahramanlık yapan büyücülere verilen bir ünvandı. Bu hikâyedeki genç büyücüye sihirbaz diyerek, Beedle onun saldırı sihrinde zaten özellikle becerikli olarak kabul edildiğini belirtiyor. Bugünlerde büyücüler "sihirbaz"ı şu iki şekilde kullanıyor: olağandışı haşin görüntüsü olan bir büyücüyü tanımlamak için, ya da özel beceri ya da başarıyı gösteren bir ünvan olarak. Örneğin, Dumbledore'un kendisi de Büyüceşûra Baş Sihirbazı'dır. J. K. R.]

olmanın rahatı ve güvencesi üzerinde ters etkisi olacağına karar veriyor. Aşkı bir küçümseme, bir zaaf, insanın duygusal ve maddi kaynaklarını yiyip bitiren bir yük olarak görüyor.

Elbette ki aşk iksirlerinin yüzyıllardır süren ticareti, kurmaca büyücümüzün aşkın önceden tahmin edilmeyen akışını kontrol etme arayışında yalnız sayılmayacağını gösteriyor. Gerçek bir aşk iksiri[10] arayışı bugüne kadar sürmüştür ama böyle bir iksir henüz yaratılmamıştır ve önde gelen iksirciler de bunun mümkün olduğu konusunda kuşkudadır.

Ne var ki bu hikâyenin kahramanı, istediği gibi yaratıp yok edeceği bir aşk taklidiyle bile ilgilenmiyor. Bir tür hastalık gözüyle baktığı şeyin ona ebediyen bulaşmamasını istiyor, bu yüzden de bir masal kitabı dışında mümkün olamayacak bir Karanlık Sihir örneği gösteriyor: kendi kalbini çıkarıp kilitliyor.

Bu eylemle bir Hortkuluk yaratmak arasındaki benzerlik, birçok yazarın dikkatini çekmiştir. Gerçi Beedle'ın kahramanı ölümden kaçınmaya çalışmıyor ama açıkça bölünmemesi gerektiği belirtilmiş olanı bölüyor –beden ve ruhtan ziyade, beden ve kalbi ayırıyor– ve bunu ya-

10 Pek Olağanüstü İksirciler Derneği'nin kurucusu Hector Dagworth-Granger şöyle açıklıyor: "Becerikli iksirci güçlü tutkulara yol açabilir, ama henüz kimse Aşk denen kırılmaz, ebedi, şartsız bağlılığı yaratmayı başaramamıştır."

parken de Adalbert Waffling'in Temel Sihir Yasaları'nın birincisini çiğniyor:

> *En derin esrarları –hayatın kaynağını, benliğin özünü– ancak en aşırı ve tehlikeli türden sonuçlara hazırsanız kurcalayın.*

Ve elbette ki, bu gözükara genç adam, insanüstü olmaya çalışırken kendini insanlık dışı hale getiriyor. Kaldırıp kilitlediği kalp yavaş yavaş büzüşüyor, üzerinde kıllar çıkıyor ve onun hayvanlığa doğru inişinin simgesi oluyor. Sonunda o da istediğini zorla alan vahşi bir hayvana dönüşüyor, artık ebediyen ulaşamayacağı bir şeyi –bir insan kalbini– yeniden kazanmaya yönelik beyhude çabası sırasında ölüyor.

Biraz eskimiş olsa da, "kıllı bir kalbi olmak" deyimi soğuk ya da hissiz bir cadı ya da büyücüyü tanımlamada, büyücü dünyasının konuşma diline geçmiştir. Hiç evlenmemiş teyzem Honoria, Sihrin Uygunsuz Kullanımı Dairesi'ndeki bir büyücüyle olan nişanını, "onun kıllı bir kalbi olduğu"nu vaktiyle keşfettiği için bozduğunu iddia ederdi. (Oysa aslında onu birkaç Cörkpâreyi[11] mın-

11 Cörkpâre'ler pembe, kılla kaplı, mantarsı yaratıklardır. Birinin neden onları mıncıklamak isteyeceğini anlamak çok zordur. Daha fazla bilgi için *Fantastik Canavarlar Nelerdir, Nerede Bulunurlar?*'a bakın.

cıklarken yakaladığı ve bunu çok şoke edici bulduğu rivayet olunuyordu.) Daha sonraları, kişisel gelişim kitabı *Kıllı Kalp: Bağlanmaktan Kaçınan Büyücüler İçin Rehber*[12] en iyi satan kitap listelerinin tepesine yükseldi.

12 Bir adamın likantropi ile mücadelesinin yürek paralayan hikâyesi olan *Kıllı Burun, İnsan Kalbi* ile karıştırmayın.

4

BABBITTY RABBITTY VE KIKIRDAYAN KÜTÜĞÜ

Çok uzun zaman önce, çok uzak bir diyarda, yalnızca kendisinin sihir gücüne sahip olması gerektiğine karar veren budala bir kral varmış.

Bu yüzden de ordusunun başkomutanına bir Cadı Avcıları Bölüğü kurmasını emretmiş ve onları, azgın bir kara av köpeği sürüsü eşliğinde ortalığa salmış. Kral aynı zamanda o diyarın her köyünde ve kasabasında duyurular okutturmuş: "Kral Bir Sihir Hocası Arıyor."

Hiçbir gerçek cadı ya da büyücü bu iş için başvurmaya cesaret edememiş, çünkü hepsi Cadı Avcıları Bölüğü'nden gizleniyormuş.

Ancak, hiç sihir gücü olmayan kurnaz bir şarlatan bu işte bir zengin olma fırsatı görmüş ve saraya gelerek, muazzam ustalıkta bir büyücü olduğunu iddia etmiş.

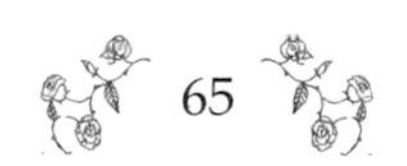

Şarlatan, budala kralı onun sihir güçleri konusunda ikna eden birkaç basit numara yapmış ve derhal Büyük Baş Büyücü ve Kralın Özel Sihir Hocası olarak tayin olunmuş.

Şarlatan, asalar ve diğer sihir gereçlerini almak için Kral'dan kendisine koca bir çuval altın vermesini istemiş. Ayrıca şifa verici tılsımların yapılmasında kullanılmak üzere birkaç büyük yakut ile iksirlerin saklanması ve dinlendirilmesi için de bir iki gümüş kupa talep etmiş. Budala Kral bütün bunları ona sağlamış.

Şarlatan hazineyi kendi evinde istifleyip emniyete aldıktan sonra saray arazisine geri dönmüş.

Ancak, arazinin kıyısındaki derme çatma bir evde yaşayan ihtiyar bir kadın tarafından gözlendiğinin farkında değilmiş. Babbitty adındaki bu kadın, saraydaki örtülerle çarşafları yumuşak, güzel kokulu ve beyaz tutan bir çamaşırcı kadınmış. Kurumakta olan çarşaflarının arkasından gözetleyen Babbitty, şarlatanın Kral'ın ağaçlarından iki ince dal koparıp sarayın içinde gözden kaybolduğunu görmüş.

Şarlatan dallardan birini Kral'a verip, bunun muazzam güçlü bir asa olduğu konusunda onu temin etmiş.

"Ama sadece siz ona layık olduğunuz zaman işe yarar" demiş şarlatan.

Her sabah şarlatan ile budala Kral saray arazisine

çıkmışlar, orada asalarını sallayıp gökyüzüne saçmalıklar haykırmışlar. Şarlatan başka numaralar da yapmaya dikkat etmiş, böylece Kral Büyük Büyücü'sünün ustalığına ve onca altına malolmuş asaların gücüne inanmayı sürdürecekmiş.

Bir sabah, şarlatan ile budala Kral dallarını döndürür, daireler çizerek zıplar ve anlamsız tekerlemeler söylerken, Kral'ın kulaklarına gürültülü bir kıkırdama çalınmış. Çamaşırcı kadın Babbitty, Kral ile şarlatanı minik kulübesinin penceresinden gözlüyormuş ve öyle bir gülüyormuş ki çok geçmeden ayakta duramayacak kadar bitkinleşip olduğu yere çökerek gözden kaybolmuş.

"Çok oturaksız bir görünüşüm olmalı" demiş Kral, "ihtiyar çamaşırcı kadını bunca güldürüyorsam!" Zıplamaya ve dalı döndürmeye bir son vererek kaşlarını çatmış. "Alıştırma yapmaktan bıktım! Uyruklarımın önünde gerçek buyüler yapmaya ne zaman hazır olacağım, Büyücü?"

Şarlatan, öğrencisini yatıştırmaya çalışmış, kısa zamanda şaşırtıcı sihir marifetleri gerçekleştirmeyi başaracağı yolunda ona güvence vermiş ama Babbitty'nin kıkırdaması budala Kral'ın canını şarlatanın sandığından çok daha fazla yakmışmış.

"Yarın," demiş Kral, "saray halkımızı, Krallarının sihir yapmasını izlemeye davet edeceğiz!"

Şarlatan hazinesini toplayıp kaçma vaktinin geldiğini görmüş.

"Ne yazık ki, Majesteleri, bu imkânsız!" demiş. "Majestelerine yarın uzun bir seyahate çıkmam gerektiğini söylemeyi unutmuşum..."

"Eğer bu saraydan benim iznim olmaksızın ayrılırsan, Büyücü, Cadı Avcıları Bölüğüm av köpekleriyle peşine düşüp seni yakalayacak! Yarın sabah lordlarım ve leydilerim için sihir yapmakta bana yardımcı olacaksın ve eğer bana gülen olursa, kelleni vurduracağım!"

Kral saraya fırtına gibi dönerek şarlatanı arkasında tek başına, korkmuş halde bırakmış. Artık onca kurnazlığı onu kurtaramazmış; çünkü ne kaçabilir ne de ikisinin de bilmediği sihir işinde Kral'a yardımcı olabilirmiş.

Korkusu ve öfkesi için bir çıkış noktası arayan şarlatan, çamaşırcı kadın Babbitty'nin penceresine yaklaşmış. İçeriye göz atınca, masasında oturmuş, bir asayı parlatan küçük ihtiyar hanımı görmüş. Arkasında bir köşede, Kral'ın çarşafları tahta bir leğende kendi kendilerini yıkıyorlarmış.

Şarlatan, Babbitty'nin hakiki bir cadı olduğunu ve onu bu korkunç duruma soktuğu gibi çıkarabileceğini de hemencecik anlamış.

"Acuze!" diye kükremiş şarlatan. "Kıkırdaman bana

çok pahalıya maloldu! Eğer bana yardım edemezsen, seni cadı diye ihbar ederim ve Kral'ın av köpeklerinin parçalayacağı kişi sen olursun!"

İhtiyar Babbitty şarlatana gülümsemiş ve yardımcı olmak için elinden gelen her şeyi yapacağı konusunda ona güvence vermiş.

Şarlatan ona, Kral sihir gösterisini sunarken bir çalılık içine gizlenmesini ve Kral'ın haberi olmadan, büyülerini onun yerine yapmasını tembihlemiş. Babbitty bu planı kabul etmiş, ancak bir soru sormuş.

"Efendim, ya Kral, Babbitty'nin altından kalkamayacağı bir büyü yapmaya kalkarsa?"

Şarlatan dudak bükmüş.

"Senin sihrin o budalanın hayal gücünü fersah fersah aşar" diye temin etmiş onu ve aklına şükrederek, şatoya çekilmiş.

Ertesi sabah krallığın bütün lordları ile leydileri saray arazisinde toplanmış. Kral onların önünde bir sahneye tırmanmış, şarlatan da yanındaymış.

"Önce bu leydinin şapkasını yok edeceğim!" diye bağırmış Kral, elindeki dalı soylu bir kadına çevirerek.

Yakınlardaki bir çalılığın içinden, Babbitty de asasını şapkaya çevirmiş ve onun yokolmasını sağlamış. Kalabalığın şaşkınlığı ve hayranlığı çok büyükmüş, sevinç içindeki krallarını gürültüyle alkışlamışlar.

"Şimdi şu atı uçuracağım!" diye bağırmış Kral. Dalını kendi bineğine çevirmiş.

Babbitty çalısının içinden kendi asasını ata çevirmiş, at havaya yükselmiş.

Kalabalık daha da fazla heyecanlanıp hayrete düşmüş ve sihirli Kral'larına karşı takdirlerini coşkuyla gürleyerek göstermişler.

"Ve şimdi," demiş Kral, aklına bir şey gelsin diye etrafa bakarak; derken, Cadı Avcıları Bölüğü'nün Komutanı koşarak öne çıkmış.

"Majesteleri," demiş Komutan, "Sabre zehirli mantar yediği için daha bu sabah öldü! Onu asanızla hayata döndürün, Majesteleri!"

Ve Komutan, cadı avcısı köpeklerin en büyüğünün cansız bedenini kaldırıp sahneye koymuş.

Budala Kral dalını ortaya çıkarıp ölü köpeğe çevirmiş. Ne var ki çalının içinde Babbitty gülümsemiş ve asasını kaldırma zahmetine bile girişmemiş; çünkü hiçbir sihir ölüleri ayağa kaldıramaz.

Köpek kıpırdamayınca, kalabalık önce fısıldamaya, sonra gülmeye başlamış. Kral'ın ilk iki marifetinin sonuçta sadece numaradan ibaret olduğundan kuşkulanıyorlarmış.

"Niye işe yaramıyor?" diye bağırmış Kral şarlatana, o da elinde kalmış tek katakulliye tutunmuş.

"İşte, Majesteleri, işte!" diye haykırmış, Babbitty'nin gizlenmiş oturduğu çalılığı işaret ederek. "Apaçık görüyorum, kendi kötücül büyüleriyle sihrinizin önünü kesen melun bir cadı! Tutun onu, biri tutsun onu!"

Babbitty çalılıktan kaçmış ve Cadı Avcıları Bölüğü, onun kanına aç bir şekilde havlayan av köpeklerinin tasmalarını çıkarıp peşine düşmüş. Ancak ufak tefek cadı alçak bir çalılığa geldiğinde gözden kaybolmuş ve Kral, şarlatan ile bütün saraylılar diğer tarafa vardıklarında cadı avcısı köpekleri eğilmiş, yaşlı bir ağacın etrafında havlar ve eşelenirken bulmuşlar.

"Kendini ağaca dönüştürdü!" diye haykırmış şarlatan. Babbitty'nin tekrar bir kadına dönüşüp onu ihbar edeceğinden korktuğu için de, eklemiş: "Kesin onu, Majesteleri, kötücül cadılara böyle davranmak gerek!"

Hemen bir balta getirilmiş ve ihtiyar ağaç, saraylılar ile şarlatanın tiz sevinç çığlıkları arasında devrilmiş.

Ancak, tam saraya dönmeye hazırlanırken, gürültülü bir kıkırdamayla oldukları yerde kalmışlar.

"Budalalar!" diye bağırmış Babbitty'nin sesi, geri bıraktıkları kesik kütükten.

"Hiçbir cadı ya da büyücü ikiye kesilerek öldürülemez! Bana inanmıyorsanız, baltayı alıp Büyük Büyücü'yü ikiye bölün!"

Cadı Avcıları Bölüğü'nün Komutanı bu deneyi yap-

maya hevesliymiş ama o baltayı kaldırır kaldırmaz şarlatan dizlerinin üstüne çökerek, bağıra çağıra merhamet dilemiş, bütün kötülüklerini itiraf etmiş. O zindanlara sürüklenirken, ağaç kütüğü her zamankinden de yüksek sesle kıkırdamış.

"Bir cadıyı ikiye bölerek, krallığının üzerine ölümcül bir lanet saldın!" demiş, taşlaşmış haldeki krala. "Bundan böyle, cadı ve büyücü kardeşlerime vereceğin her zarar sende böğrüne bir balta inmiş duygusu uyandıracak, o kadar ki bundan ölmeyi isteyeceksin."

Bunu duyunca Kral da dizlerinin üstüne çökmüş ve kütüğe, derhal krallığın bütün cadıları ile büyücülerini koruyan ve onların sihirlerini huzur içinde yapmalarına fırsat veren bir duyuru yayınlayacağını söylemiş.

"Çok iyi," demiş kütük, "ama Babbitty'ye verdiğin zararı da ödemen gerek!"

"Ne olursa, aman ne olursa!" diye haykırmış budala Kral, kütüğün önünde ellerini ovuşturarak.

"Benim üzerime Babbitty'nin bir heykelini dikeceksin, o zavallı çamaşırcı kadının anısını yaşatsın ve sana daima kendi budalalığını hatırlatsın diye!" demiş kütük.

Kral hemen kabul etmiş ve ülkenin en önemli heykeltıraşıyla anlaşmaya, heykeli som altından yaptırmaya söz vermiş. Sonra mahcup olmuş kral ile bütün soylu erkek ve kadınlar saraya dönüp, kütüğü arkalarından kıkır kıkır kıkırdar halde bırakmışlar.

Arazi bir kez daha boşalınca, ağaç kütüğünün köklerindeki bir delikten dişleri arasına bir asa sıkışmış, iri ve bıyıklı bir tavşan kıvrılarak çıkmış. Babbitty araziyi zıplayarak terk etmiş, çok uzaklara gitmiş ve ondan sonra o ağaç kütüğünün üstünde çamaşırcı kadının altın bir heykeli hep durmuş, o krallıkta bir daha hiçbir cadı ya da büyücüye de eziyet edilmemiş.

Albus Dumbledore'un "Babbitty Rabbitty ve Kıkırdayan Kütüğü" Üzerine Notları

"Babbitty Rabbitty ve Kıkırdayan Kütüğü" öyküde tanımlanan sihrin bilinen sihir yasalarına neredeyse tamamen uymasıyla, pek çok yönden, Beedle'ın en "gerçek" hikâyelerinden biridir.

Çoğumuz sihirin ölüleri geri getirmeyeceğini ilk kez bu hikâye ile keşfettik – küçük çocuklar olarak annelerimizle babalarımızın ölü sıçanlarımızı ve kedilerimizi asalarını bir kez sallayarak diriltebileceğinden emin olduğumuz için, bizim açımızdan büyük hayal kırıklığı ve şok oldu bu. Beedle'ın bu hikâyeyi yazmasından beri neredeyse altı yüzyıl geçtiği ve biz sevdiklerimizin varlıklarının devam ettiği[13] yanılsamasını

13 [Büyücü fotoğrafları ve portreleri tıpkı onlara konu olan kişiler gibi hareket eder ve (portreler söz konusu olduğunda) konuşurlar. Kelid Aynası gibi bazı ender nesneler ise yitirilmiş bir yakının durağan bir imgesinden fazlasını da gösterebilir. Hayaletler şu ya da bu nedenden dolayı yeryüzünde kalmayı istemiş büyücüler ve cadıların saydam, hareket eden, konuşan ve düşünen suretleridirler. J. K. R.]

sürdürmek için sayısız yöntem bulduğumuz halde, büyücüler ölüm bir kez meydana geldikten sonra beden ile ruhu yeniden bir araya getirmenin bir yöntemini hâlâ bulamadılar. Saygın büyü düşünürü Bertrand de Pensées-Profondes'un ünlü kitabı *Özellikle Öz ve Maddenin Yeniden Biraraya Gelmesini Dikkate Alarak, Doğal Ölümün Fiili ve Metafizik Etkilerini Tersine Çevirme İmkânı Üzerine Bir Çalışma*'da yazdığı gibi: "Vazgeçin. Asla olmayacak."

Ancak, Babbitty Rabbitty'nin hikâyesi bize edebiyatta bir Animagus'tan söz edilişinin ilk örneklerinden birini sunuyor; çünkü çamaşırcı kadın Babbitty, istediği zaman bir hayvana dönüşme şeklindeki nadir sihirsel yeteneğin sahibi.

Animagus'lar, büyücü nüfusunun küçük bir bölümünü meydana getirir. İnsandan hayvana anında ve kusursuzca dönüşüm gerçekleştirmek, pek çok çalışma ve pratik gerektirir ve çok sayıda cadı ile büyücü vakitlerini başka şeylerle uğraşarak daha iyi şekilde kullanabileceklerini düşünürler. Sahiden de, eğer insanın kılık değiştirmeye ya da saklanmaya fena halde ihtiyacı yoksa, böyle bir yeteneğin uygulaması sınırlıdır. İşte bu yüzden Sihir Bakanlığı Animagus'ların sicile geçirilmesinde ısrar etmiştir; çünkü bu tür sihirin en fazla kaçamak, gizli kapaklı, hatta suç oluşturacak faaliyetlerde kullanılacağından hiç şüphe yoktur.[14]

Tavşana dönüşebilen çamaşırcı bir kadın olup olmadığı, şüphe uyandıran bir husustur; ancak, kimi sihir tarihçileri, Beedle'ın Babbitty'ye model olarak, 1422'de Paris'te cadılıktan hüküm giyen meşhur Fransız cadı Lisette de Lapin'i aldığını öne sürmüşlerdir. Lisette idam edilmesinden bir önceki gece hapishane hücresinden yok olarak Muggle muhafızlarını şaşkınlık içinde bıraktı ve onların daha sonra cadının kaçmasına yardımcı olmaktan yargılanmasına sebep oldu. Lisette'in hücre penceresinin parmaklıkları arasından sıkışıp geçmeyi beceren bir Animagus olduğu asla kanıtlanmasa da, büyük bir beyaz tavşan daha sonra, üzerine yelken takılmış bir kazan ile Manş Denizi'ni geçerken görüldü ve buna benzer bir tavşan da daha sonra Kral VI. Henry'nin sarayında güvenilen bir danışman oldu.[15]

Beedle'ın hikâyesindeki Kral, sihre hem gıpta eden hem de ondan korkan budala bir Muggle. Salt büyülü sözler öğrenip asa sallayarak büyücü olabileceğine ina-

14 [Hogwarts Müdiresi Profesör McGonagall benden kendisinin sadece Biçim Değiştirme'nin bütün alanlarında geniş kapsamlı araştırmalar yaptığı için bir Animagus olduğuna ve tekir bir kediye dönüşme yeteneğini Zümrüdüanka Yoldaşlığı'nın gizlilik ve saklanmanın zorunlu olduğu yasal işleri dışında hiçbir zaman kaçamak bir amaçla kullanmadığına açıklık getirmemi istedi. J. K. R.]

15 Bunun da Muggle Kral'ın akli dengesizliğiyle tanınmasına katkısı olmuş olabilir.

nıyor.[16] Sihrin ve büyücülerin gerçek doğası konusunda tamamen cahil, bu yüzden de hem şarlatanın hem de Babbitty'nin akıl almaz önerilerine inanıyor. Bu sahiden de belirli bir Muggle düşünüşünün tipik örneği: cehaletleri yüzünden, Babbitty'nin kendini hâlâ düşünebilen ve konuşabilen bir ağaca döndürmüş olması da dahil, her tür imkânsızlığı kabul etmeye hazırlar. (Ancak bu noktada, Beedle'ın Muggle Kral'ın ne kadar cahil olduğunu göstermek için konuşan ağaç numarasından yararlanmasının yanı sıra, bizden Babbitty'nin tavşanken hâlâ konuşabileceğine inanmamızı istemesi de dikkate değer. Bu, belli bir etki yaratmak için yapılmış olabilir ama ben Beedle'ın Animagus'lar hakkında bir şeyler duysa da asla bir Animagus'la karşılaşmadığını düşünmeye daha yatkınım; çünkü hikâyesinde sihir yasalarını sadece burada ihlal ediyor. Animagus'lar hayvan biçimindeyken insani konuşma güçlerini muhafaza etmezler, diğer taraftan in-

16 Esrar Dairesi'ndeki 1672'ye kadar uzanan geniş kapsamlı çalışmaların da gösterdiği gibi, insan büyücü ya da cadı olarak doğar, sonradan olmaz. Bazen sihirli olmayan soydan gelenlerde de sihir yapma şeklindeki serseri yetenek görülse bile, (gerçi daha sonraki çalışmalar aile ağacının bir yerinde bir cadı ya da büyücü olacağını akla getirmiştir ama) Muggle'lar sihir yapamaz. Ümit edebileceklerinin en iyisi –ya da en kötüsü– ara sıra, sihri kanalize etmesi gereken bir alet olarak, bazen onun arta kalmış gücünü de taşıyan gerçek bir sihirli asanın yaratacağı tesadüfi ve kontrol dışı etkilerdir – "Üç Kardeşin Hikâyesi"nde asa ilmi üzerine notlara da bakın.

sani düşünme ve akıl yürütme güçlerini elde tutarlar. Bu, her okul çocuğunun bildiği gibi, bir Animagus olmak ve Biçim Değiştirme ile hayvan olmak arasındaki temel farklılıktır. Biçim Değiştirmede insan tamamen o hayvanın halini alır ve sonuç olarak sihir bilmez, daha önce büyücü olduğundan haberi olmaz ve onu asıl biçimine döndürecek Biçim Değiştirme için başka birine ihtiyacı olur.)

Kadın kahramanının bir ağaca dönüşmüş gibi davranmasını ve Kral'ı kendi böğründe balta darbesi gibi bir acıyla tehdit etmesini seçerken, Beedle'ın hakiki sihir geleneklerí ve uygulamalarından ilham almış olabileceğini düşünüyorum. Asa kalitesinde tahtaları olan ağaçlar onlara göz kulak olan asa yapımcıları tarafından daima şiddetle korunmuştur. Böyle ağaçları çalmak için kesmek, yalnızca çoğu kez orada yuva yapan Kabuluk'ların[17] garezini üstüne çekme tehlikesini değil, sahipleri tarafından onların çevresine konmuş herhangi bir koruyucu lanetin kötü etkisi altına girme tehlikesini de taşır. Beedle'ın zamanında, Cruciatus Laneti henüz Sihir Bakanlığı tarafından yasadışı hale getirilmemişti[18] ve bu lanet, tam da Babbitty'nin Kral'ı tehdit ettiği duyguyu yaratabilir.

17 Ağaçlarda yaşayan bu tuhaf küçük yaratıkların tam bir tanımı için, *Fantastik Canavarlar Nelerdir, Nerede Bulunurlar?*'a bakın.

18 Cruciatus, İmperius ve Avada Kedavra Lanetleri ilk kez 1717'de Affedilmez olarak sınıflandırılmışlardı, kullanımları en sert cezalara yol açıyordu.

5

ÜÇ KARDEŞİN HİKÂYESİ

Vaktiyle alacakaranlıkta ıssız, dolambaçlı bir yolda seyahat eden üç erkek kardeş varmış. Kardeşler gide gide, yürüyerek geçilemeyecek kadar derin, yüzülemeyecek kadar da tehlikeli bir nehre gelmiş. Ancak bu kardeşler sihirsel sanatlar konusunda bilgiliymiş, onun için sadece asalarını sallamışlar ve emniyetsiz sularda bir köprünün görünmesini sağlamışlar. Köprünün yarısına gelince de yollarının kukuletalı biri tarafından kesildiğini görmüşler.

Ve Ölüm onlarla konuşmuş. Kandırıldığı, üç yeni kurbanı elinden alındığı için kızgınmış, çünkü seyyahlar genellikle nehirde boğulurmuş. Ama Ölüm kurnazmış. Üç kardeşi sihirleri için tebrik ediyormuş gibi yapmış ve ondan kurtulacak kadar akıllı oldukları için her birinin bir ödül kazandığını söylemiş.

Böylece dövüşken bir adam olan en büyük kardeş, varolan bütün asalardan daha güçlü bir asa istemiş: sahibi için her düelloyu kazanacak bir asa; Ölüm'ü fethetmiş olan bir büyücüye layık bir asa! Ölüm de nehri geçip kıyıdaki bir mürver ağacının yanına gitmiş, orada asılı bir daldan bir asa yapmış ve en büyük kardeşe vermiş.

Sonra kibirli bir adam olan ikinci kardeş Ölüm'ü daha da aşağılamaya karar vermiş ve başkalarını Ölüm'den geri çağırma gücü istemiş. Ölüm de nehrin kıyısından bir taş almış, ikinci kardeşe vermiş ve ona taşın ölüleri geri getirecek güce sahip olacağını söylemiş.

Ve sonra Ölüm üçüncü ve en küçük kardeşe ne istediğini sormuş. En küçük kardeş hepsinin içinde en alçak gönüllüsü ve aynı zamanda en bilgesiymiş. Ölüm'e de güvenmiyormuş. Bunun için oradan Ölüm tarafından izlenmeden uzaklaşmasını sağlayacak bir şey istemiş. Ve Ölüm, istemeye istemeye, ona kendi Görünmezlik Pelerini'ni vermiş.

Sonra Ölüm kenara çekilip üç erkek kardeşin yollarına devam etmelerine izin vermiş ve onlar da devam etmişler, ne harika bir macera yaşadıklarından konuşmuşlar, Ölüm'ün armağanlarına hayran kalmışlar.

Ve zamanla kardeşler ayrılmış, her biri kendi yoluna gitmiş.

İlk kardeş bir hafta ya da biraz daha uzun süre se-

yahat etmiş ve uzaklardaki bir köye ulaşınca, bir büyücü bulup onunla kavga etmiş. Silahı Mürver Asa olduğu için elbette düelloda başarısızlığa uğrayamazmış. Düşmanını yerde ölü bırakan en büyük kardeş bir hana gitmiş, orada bizzat Ölüm'ün kendisinden kaptığı güçlü asayı ve bu asanın kendisini nasıl yenilmez hale getirdiğini yüksek sesle anlatarak övünmüş.

Daha o gece başka bir büyücü, şaraptan körkütük sarhoş halde yatağında yatan büyük kardeşin yanına sinsice yaklaşmış. Hırsız asayı almış ve ne olur ne olmaz diye, büyük kardeşin gırtlağını kesmiş.

Böylece Ölüm ilk kardeşe sahip olmuş.

Bu arada, ikinci kardeş tek başına yaşadığı evine gitmiş. Burada, ölüleri geri getirme gücü olan taşı çıkarmış ve elinde üç kez çevirmiş. Bir zamanlar evlenmeyi umduğu ancak vakitsiz ölmüş kızın silueti bir anda önünde belirince hayret ve memnuniyet içinde kalmış.

Ancak kız sessiz ve soğukmuş, aralarında bir tül varmış gibi ondan ayrıymış. Fani dünyaya dönmüş olsa da, gerçek anlamıyla oraya ait değilmiş ve ıstırap çekiyormuş. Sonunda, hasretten çıldıran ikinci kardeş, kıza sahiden kavuşabilmek için kendini öldürmüş.

Ve böylece Ölüm ikinci kardeşe sahip olmuş.

Ama Ölüm yıllarca üçüncü kardeşi arasa da onu asla bulamamış. En genç kardeş ancak çok ileri bir yaşa eri-

şince nihayet Görünmezlik Pelerini'ni çıkarmış, oğluna vermiş. Sonra Ölüm'ü eski bir dost olarak selamlamış ve onunla birlikte memnuniyetle gitmiş ve ikisi, birbirinin dengi, bu hayattan ayrılmışlar.

Albus Dumbledore'un "Üç Kardeşin Hikâyesi" Üzerine Notları

Bu hikâyenin küçük bir erkek çocukken benim üzerimde çok derin bir etkisi oldu. Önce annemden dinlemiştim ve çok geçmeden yatma vaktinde diğerlerinin hepsinden daha sık anlatılmasını istediğim hikâye halini aldı. Bu da sık sık, en sevdiği hikâye "Kirli Keçi Homurdak" olan erkek kardeşim Aberforth'la aramızda tartışmaya yolaçtı.

Üç Kardeşin Hikâyesi'nden çıkarılacak ahlak dersi ancak bu kadar açık olabilir: insanların ölümden kaçma ya da ölüme üstün gelme çabaları daima hayal kırıklığına uğramaya mahkûmdur. Hikâyedeki üçüncü kardeş ("en alçak gönüllüsü ve aynı zamanda en bilgesi") bir keresinde Ölüm'den ucu ucuna kurtulmuş biri olarak en büyük umudunun ölümle bir sonraki buluşmalarını elinden geldiğince ertelemek olduğunu anlayan tek kişi. Bu en küçük kardeş, Ölüm'le alay etmenin –ilk kardeş gibi şiddete başvurmanın ya da ikinci kardeş gibi karan-

lık nekromansi[19] sanatıyla uğraşmanın– insanın kendisine rakip olarak kaybetmesi mümkün olmayan, düzenbaz bir düşman seçmesi anlamına geldiğini biliyor.

İşin komik yanı, bu hikâyenin etrafında, özgün hikâyenin mesajıyla tamamen çelişen tuhaf bir efsanenin gelişmiş olmasıdır. Bu efsane, Ölüm'ün kardeşlere verdiği armağanların –yenilmez bir asa, ölüleri geri getirebilen bir taş ve sonsuza kadar dayanan bir Görünmezlik Pelerini– gerçek dünyada var olan hakiki nesneler olduğu üzerinedir. Efsane daha da ileri gider: eğer herhangi birisi üçünün birden hakkıyla sahibi olursa, o kişi "Ölüm'ün efendisi" olacaktır ki bu da genellikle incinmez hatta ölümsüz olacağı anlamına gelir.

Bunun insan tabiatı hakkında bize anlattıkları karşısında, biraz hüzünle de olsa, gülümseyebiliriz. En müşfik yorum şu olur: "Umut pınarı dinmez"[20]. Beedle'a göre, üç nesneden ikisinin son derece tehlikeli olmasına rağmen, Ölüm'ün sonunda hepimiz için geldiği yolundaki açık mesaja rağmen, büyücü toplumunun minik bir azınlığı, Beedle'ın onlara, mürekkeple yazılmış olanın

19 [Nekromansi, ölüleri ayağa kaldırma Karanlık Sanatı'dır. Bu hikâyenin de açıkça ortaya koyduğu gibi, asla işlemeyen bir sihir dalıdır. J. K. R.]

20 [Bu alıntı Albus Dumbledore'un büyücülük ilim ve sanatları üzerine çok okumuş olmakla kalmayıp, Muggle şair Alexander Pope'un yazdıklarına da aşina olduğunu gösteriyor. J. K. R.]

tıpı tıpına tersi olan şifreli bir mesaj gönderdiğine ve yalnızca onların bu mesajı anlayacak kadar akıllı olduğuna inanmakta ısrar eder.

Kuramları (ya da belki "umutsuz umutları" demek daha doğru olur) çok az gerçek kanıt tarafından desteklenmiştir. Hakiki Görünmezlik Pelerinleri, sayıları çok az olsa da, dünyamızda mevcuttur; ancak, hikâye Ölüm'ün Pelerini'nin eşi görülmemiş derecede dayanıklı nitelikte olduğunu açık şekilde belirtiyor.[21] Beedle'ın dönemi ile bizim dönemimiz arasında geçen onca yüzyılda kimse Ölüm'ün Pelerini'ni bulduğunu iddia etmemiştir. Bu da gerçek inananlar tarafından şöyle açıklanır: ya üçüncü erkek kardeşin soyundan gelenler Pelerin'lerinin nereden geldiğini bilmiyorlar ya da biliyorlar ve bu gerçeği herkese ilan etmeyen atalarının bilgeliğini göstermekte kararlılar.

Doğaldır ki taş da asla bulunmadı. "Babbitty Rabbity ve Kıkırdayan Kütüğü"nün yorumunda zaten belirttiğim gibi, ölüleri uyandırmamız hâlâ mümkün değil

21 [Görünmezlik Pelerinleri genelde tamamen güvenilir değildir. Yırtılırlar ya da yıllarla opak bir hal alırlar, üzerlerindeki büyüler aşınır ya da ifşa büyüleriyle ortaya çıkarılabilirler. İşte bunun içindir ki cadılar ve büyücüler ilk aşamada kendilerini kamufle etmek ya da saklamak için çoğu kez Hayalbozan Büyüleri'ne başvururlar. Albus Dumbledore'un, bir Pelerin'e ihtiyacı olmadan kendisini görünmez hale getirecek kadar güçlü bir Hayalbozan Büyüsü yaptığı bilinirdi. J. K. R.]

ve bunun asla gerçekleşmeyeceğini varsaymak için her türlü neden var. Tabii ki, İnferius'ları[22] yaratan Karanlık büyücüler tarafından yerleri iğrenç bir şekilde doldurulmaya çalışıldı ama bunlar gerçekten yeniden uyandırılmış insanlar değil, berbat kuklalardır. Üstelik, Beedle'ın hikâyesi de ikinci kardeşin kayıp aşkının gerçek anlamıyla ölüler arasından dönmediği konusunda hayli açıktır. Kız, Ölüm tarafından, ikinci kardeşi Ölüm'ün pençesine düşürmek için yollanmıştır ve bu yüzden de soğuktur, uzaktır. Boşuna umut verecek şekilde hem vardır hem de yoktur.[23]

Bu durumda geriye asa kalıyor ve Beedle'ın gizli mesajına inatla inananlar, hiç değilse çılgınca iddialarını destekleyecek biraz tarihi kanıta sahipler. Çünkü durum şudur ki –ister kendilerini göklere çıkarmaktan hoşlandıkları için, ister muhtemel saldırganların cesaretini kırmak için ya da dediklerine sahiden inandıklarından olsun– büyücüler çağlar boyunca sıradan asalardan daha güçlü bir asa, hatta "yenilmez" bir asa sahibi oldukları iddiasında bulunmuşlardır. Bu büyücülerden bazıları, sözde Ölüm'ün yaptığı asa gibi kendi asalarının da mür-

22 [İnferius'lar, Karanlık Sihir ile yeniden canlandırılan cesetlerdir. J. K. R.]

23 Birçok eleştirmen Beedle'ın, ölüleri ayağa kaldıran bu taşı yaratırken, ölümsüzlük verici Yaşam İksiri'ni yapan Felsefe Taşı'ndan ilham aldığına inanır.

verden olduğunu iddia etmiştir. Böyle asalara, "Kader Asası" ve "Ölümdeğneği"nin de aralarında olduğu birçok ad verilmiştir.

Nereden baksanız en önemli sihirli aletlerimiz ve silahlarımız olan asalarımız etrafında eski boş inançların gelişmiş olmasına şaşmamak gerek. Kimi asaların (ve dolayısıyla sahiplerinin) birbiriyle bağdaşmadığı söylenir:

Onun asası meşe, kızınki de çobanpüskülüyse,
Düpedüz aptallık olur evlenirlerse.

Ya da sahiplerinin karakterindeki kusurları gösterirler denir:

Üvez dedikoducudur, kestane asalaktır,
Alıç inatçı ise fındık da ağlaktır.

Ve elbette, bu kanıtlanmamış sözler kategorisinde şunu da buluyoruz:

Mürverdense asan, hiç bitmez tasan.

Ya Ölüm Beedle'ın hikâyesindeki hayali asayı mürverden yaptığı için, ya da güç peşinde koşan veya şiddet

dolu büyücüler ısrarla asalarının mürverden yapıldığını iddia ettiği için, asa yapımcıları arasında tercih edilen bir ağaç değildir.

Mürverden yapılmış, özellikle kuvvetli ve tehlikeli güçleri olan ilk asaya ilişkin olarak çoğunun "Gaddar" lakabıyla andığı, Emeric adlı, ortaçağın başlarında İngiltere'nin güneyine dehşet saçan kısa ömürlü ama son derece saldırgan büyücünun bahsi geçiyor. Nasıl yaşadıysa öyle öldü, Egbert denen bir büyücü ile vahşi bir düelloda. Egbert'in başına ne geldiği bilinmiyor ama ortaçağ düellocularının ortalama ömürleri genelde kısaydı. Karanlık Büyü'nün kullanımını düzenleyecek bir Sihir Bakanlığı'nın varlığından önceki günlerde, düellonun sonuçları çoğu kez ölümcüldü.

Tam bir yüzyıl sonra, bu sefer adı Godelot olan bir başka nahoş karakter, defterinde "en melun ve sinsi dostum, gövdesi Mürüvver'den[24] ve pek kötü sihir usulleri biliyor" diye tanımladığı bir asanın yardımıyla bir tehlikeli büyüler derlemesi yazarak Karanlık Sihir çalışmasını ilerletmişti. (Godelot'un şaheserinin adı *En Habis Sihirler* oldu.)

Görüldüğü gibi, Godelot asasına bir yardımcı, neredeyse bir hoca gözüyle bakıyor. Asa ilmi hakkında bilgisi

24 "Mürver"in eski adı.

olanlar[25] bu önceden tahmin edilemeyen ve kusurlu bir iş olsa da, asaların onları kullananların tecrübesini gerçekten özümsediğini kabul edecekler; insan, asanın belli bir bireyle ne kadar iyi bir performans gösterme ihtimali olduğunu anlamak için asa ile kullanıcısı arasındaki ilişki gibi her tür ek etmeni hesaba katmalı. Gene de, birçok Karanlık büyücünün elinden geçtiğini varsayacağımız bir asanın, en tehlikeli sihir türlerine hiç değilse belirgin bir meyli olması muhtemeldir.

Çoğu cadı ve büyücünün, herhangi bir elden düşme asadansa, onları "seçmiş" olan bir asayı tercih etme nedenleri de tam olarak budur; çünkü ilkinin eski sahibinden yeni kullanıcının sihir üslubuna uygun olmayan alışkanlıklar edinmiş olma ihtimali vardır. Sahibi öldüğünde asayı da onunla birlikte gömme (ya da yakma) yolundaki genel uygulama da herhangi bir asanın haddinden fazla efendiden öğrenmesini önlemeye hizmet eder. Ancak, Mürver Asa'ya inananlar, bağlılığın sahipler arasında aktarılma yöntemi nedeniyle –bir sonraki efendi, çoğu kez öldürmek suretiyle, ilkini alteder– Mürver Asa'nın asla yokedilmediğini ya da gömülmediğini, ama varlığını sürdürüp sıradan olanların çok ötesinde bilgelik, kuvvet ve güç topladığını öne sürerler.

Godelot'un deli oğlu Hereward tarafından kilitlen-

25 Mesela bendeniz.

diği kendi hücresinde öldüğü biliniyor. Hereward'ın babasının asasını aldığını varsaymalıyız, yoksa babası kaçmayı başarırdı ama Hereward'ın daha sonra asa ile ne yaptığından emin olamayız. Kesin olan tek şey, sahibi Barnabas Deverill'in "Mürgen[26] Asası" dediği bir asanın on sekizinci yüzyıl başlarında ortaya çıktığı ve Deverill'in onu, korkutucu bir sihirbaz ününü hakedene kadar kullandığıdır, ta ki dehşet saltanatı kötülüğüyle aynı derecede ün salmış Loxias tarafından sona erdirilene kadar. Loxias asayı aldı, ona "Ölümdeğneği" adını verdi ve onu hoşuna gitmeyen herkesi yerle bir etmek için kullandı. Loxias'ın asasının daha sonraki tarihinin izini sürmek zor; çünkü aralarında kendi annesinin de bulunduğu birçok kişi, onun işini bitirdiğini iddia etti.

Mürver Asa'nın sözümona tarihini inceleyen herhangi bir zeki cadı ya da büyücünün gözüne çarpması gereken şey, ona eskiden sahip olduğunu[27] iddia etmiş her erkeğin onun "yenilmez" olduğunda ısrar etmiş olması. Oysa pek çok sahip arasında el değiştirmiş olduğu yolundaki bilinen gerçekler bile yalnızca yüzlerce kere yenildiğini değil, Kirli Keçi Homurdak'ın sinekleri çekmesi gibi, belayı üzerine çektiğini gösteriyor. Nihayetin-

26 "Mürver"in bir başka eski adı.
27 Hiçbir cadı Mürver Asa'ya sahip olduğunu iddia etmedi. Bundan ne çıkaracaksanız siz çıkarın artık.

de, Mürver Asa arayışı yalnızca uzun ömrüm boyunca birçok kez yapma fırsatını bulduğum bir gözlemi destekliyor: insanların, tam da kendileri için en kötü olan şeyleri seçme gibi bir marifetleri var.

Ama, Ölüm'ün armağanları arasından bir seçme yapma fırsatı verilseydi, aramızdan hangisi üçüncü kardeşin gösterdiği bilgeliği gösterebilirdi? Büyücüler de, Muggle'lar da güce karşı ihtirasla doludur; kaç tanesi "Kader Asası"na karşı direnebilirdi? Hangi insan, sevdiği kişiyi kaybedince Diriltme Taşı'nın aklını çelmesine karşı koyabilirdi? Ben, Albus Dumbledore bile Görünmezlik Pelerini'ni reddetmeyi en kolayı bulurdum; bu da, ne kadar akıllı olsam bile, gene de hâlâ herkes kadar büyük bir budala olduğumu gösteriyor.

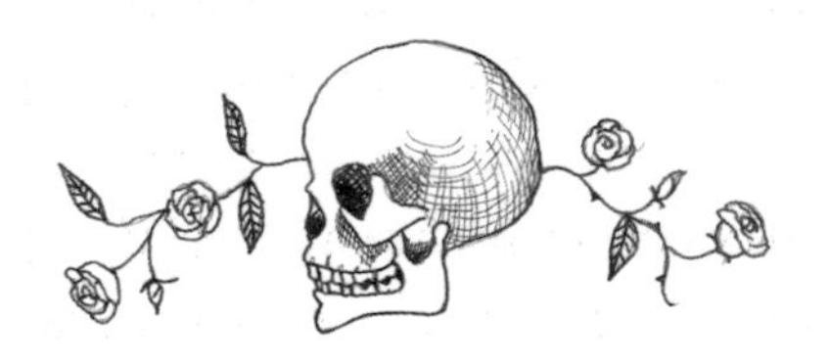

children's

HIGH LEVEL GROUP

health. education. welfare.

Sevgili Okurlar,

Bu eşsiz ve özel kitabı aldığınız için teşekkürler. Bu fırsattan yararlanarak desteğinizin çok sayıda hassas durumdaki çocuğun yaşamlarında gerçek bir fark yaratmamıza nasıl yardımcı olacağını açıklamak istedim.

Avrupa'nın dört bir yanındaki büyük barınma kurumlarında 1 milyondan fazla çocuk yaşıyor. Yaygın kanının aksine, bunların çoğu yetim *değil*, aileleri yoksul, özürlü ya da etnik azınlıklardan olduğu için devlet bakımındalar. Bu çocuklardan çoğu özürlü veya engelli, fakat genellikle herhangi bir sağlık ya da eğitim müdahalesi almıyorlar. Bazı durumlarda yeterli yemek gibi hayatın en temel ihtiyaçlarına bile ulaşamıyorlar. Neredeyse her zaman insan temasından, duygusal temastan ve teşvikten mahrumlar.

Kurumlara yerleştirilmiş ve yalnız bırakılmış çocukların yaşamlarını değiştirmek ve gelecekteki hiçbir neslin bu şekilde acı çekmemesini sağlamaya çalışmak için, J. K. Rowling ve ben 2005 yılında Children's High Level Group (CHLG) hayır kurumunu kurduk. Bu terk edilmiş çocukların bir sesleri olsun, öykülerini duyurabilsinler istedik.

CHLG büyük kurumların kullanımına son verilmesini ve çocukların ailelerin –kendi aileleri, koruyucu aileler ya da onları evlat edinen aileler– yanında ya da küçük grup evlerinde kalmasını mümkün kılacak yolları teşvik etmeyi amaçlıyor.

Bu kampanya her yıl aşağı yukarı çeyrek milyon çocuğa yardım ediyor. Yılda yüz binlerce çocuğa destek ve bilgi sağlayan bağımsız bir çocuk yardım hattını finanse ediyoruz. Ayrıca eğitim etkinlikleri de yapıyoruz. Bunlar arasında normal eğitim işlerinde görev yapan genç insanların kurumlardaki engelli çocuklarla çalıştıkları "Toplumsal Eylem" projesi ve kenara itilmiş, kuruma yerleştirilmiş genç insanların kendilerini yaratıcılıkları ve yetenekleriyle ifade etmelerine izin veren "Edelweiss" var. Ayrıca Romanya'da CHLG çocukların haklarını temsil etmek ve onların kendi deneyimleri üzerine seslerini duyurmalarını mümkün kılmak üzere bir ulusal çocuk konseyi oluşturdu.

Fakat gücümüz ancak bir yere kadar yetiyor. Büyümek ve bu yaptıklarımızı katlamak, daha fazla ülkeye doğru uzanıp böylesi ciddi şekilde ihtiyaç içinde olan çocuklara yardım etmek için mali kaynağa ihtiyacımız var.

CHLG bu alanda sivil toplum kuruluşları arasında eşsiz bir özelliğe sahip ki o da hem hükümetler ve devlet kurumları, sivil toplum, profesyoneller ve gönüllü kuruluşlarla; hem de sahada uygulamaya yönelik hizmet verenlerle çalışması.

CHLG, Birleşmiş Milletler Çocuk Hakları Sözleşmesi'nin Avrupa'nın her yanında ve nihayetinde, dünyanın her yanında tamamen uygulanmasını hedefliyor. Sadece iki yılda hükümetlere bebeklerin hastanelerde bırakılmasını önleme ve özürlü ve engelli çocukların bakımını iyileştirme stratejileri geliştirmede yardımcı olduk ve çocukları yerleştirildikleri kurumlardan çıkarmada ve yeniden topluma kazandırmada en iyi uygulamalar üzerine bir kılavuz geliştirdik.

Bu kitabı satın alarak verdiğiniz destekten ötürü size gerçekten minnettarız. Bu hayati maddi kaynaklar CHLG'nin etkinliklerini sürdürmesini mümkün kılacak, daha yüz binlerce çocuğa doğru dürüst ve sağlıklı bir hayat sürme fırsatı verecek.

Hakkımızda daha fazla bilgi edinmek ve nasıl daha fazla katılımınız olabileceğini öğrenmek için, lütfen www.chlg.org adresini ziyaret edin.

Teşekkürler,

Winterbourne Baronesi Nicholson,
Avrupa Parlamentosu Üyesi
CHLG Eşbaşkanı

OKUL ÇAĞI KİTAPLIĞI

Adalet Ağaoğlu
Duvar Öyküsü

Richard ve Florence Atwater
Boyacının Penguenleri

Fazıl Hüsnü Dağlarca
Balina ile Mandalina
Yaramaz Sözcükler
Okulumuz 1'deki
Okulumuz 2'deki / Kanatlarda
Okulumuz 3'teki
Cincik
Cin ile Cincik
Dolar Biriktiren Çocuk
Yazıları Seven Ayı
Baş Parmak
Gösterme Parmağı
Güneşi Doğduran
Göz Masalı
Kuş Ayak
Arkaüstü (Uçsuz Bucaksız Yaşama)

Gülten Dayıoğlu
Okyanuslar Ötesine Yolculuk
Kenya'ya Yolculuk
Mısır'a Yolculuk
Meksika'ya Yolculuk
Hindistan'a Yolculuk ve Nepal Gezisi

Tarık Demirkan (haz.-çev.)
Her Güne Bir Masal

Itır Arda-Seyran Deniz (haz.)
Her Güne Bir Oyun

M. Sabri Koz (haz.)
Her Güne Bir Ninni

Cemal Süreya
Aritmetik İyi Kuşlar Pekiyi
Üstü Kalsın - Seçme Şiirler

İLKGENÇLİK KİTAPLIĞI
Aisopos Masalları
Grimm Masalları –I.II

Sait Faik Abasıyanık
Seçme Hikâyeler

Bilgin Adalı (uyarlayan)
Gençler İçin Gılgamış Destanı

Rodoslu Apollonios
Argo Gemicilerinin Destanı

Hans Christian Andersen
Andersen Masalları

Enis Batur (haz.)
Sahici Trenler İçin Oyuncak Kitap

İlke Boran - Kıvılcım Yıldız Şenürkmez
Kültürel Tarih Işığında Çoksesli Batı Müziği

Adnan Binyazar
Dede Korkut

Edip Cansever
Gelmiş Bulundum - Seçme Şiirler

François Dagognet
Büyük Filozoflar ve Felsefeleri

Vedat Dalokay
Kolo

Daniel Defoe
Robinson Crusoe

Umberto Eco
Cecü'nün Yer Cüceleri

Ege Erim
Kayıp Şeyler Ülkesinde

Timothée de Fombelle
Tobie Lolness - I. Boşlukta Yaşam
Tobie Lolness - Elisha'nın Gözleri

Jacques le Goof - Jean-Louis Schlegel
Çocuklar İçin Ortaçağ

Ted Hughes
Demir Adam-Demir Kadın

Nâzım Hikmet
Sevdalı Bulut
Henüz Vakit Varken Gülüm - Seçme Şiirler

Norton Juster
Hayalet Gişe - Milo'nun Akıl Almaz Serüveni

J. Rudyard Kipling
Cengel Kitabı

Henri Lœvenbruck
Dişi Kurt ile Çocuk
Kurtların Savaşı
Dişi Kurdun Gecesi
Behçet Necatigil
Eski Sokak - Seçme Şiirler
Sven Ortoli-Nicolas Witkowski
Arşimed'in Hamamı
Nicolas Witkowski
Bilimlerin Duygusal Tarihi
Miguel de Cervantes Saavedra
Don Kişot
Mine Söğüt
Sevgili Doğan Kardeş
Mark Twain
Bir Cinayet, Bir Sır ve Bir Evlilik
Orhan Veli
La Fontaine'in Masalları
Nasrettin Hoca Hikâyeleri
Sakın Şaşırma - Seçme Şiirler
Tahsin Yücel
Anadolu Masalları
Gülten Dayıoğlu
Yeşil Kiraz
Yeşil Kiraz 2
Sir James George Frazer
Altın Dal
Memet Fuat
Yunus Emre
Karacaoğlan
Tevfik Fikret
Pir Sultan Abdal
Şinasi
Ahmet Haşim
Namık Kemal
Köroğlu
Dadaloğlu
Hubert Reeves
Kuşlar, Harika Kuşlar
Gökyüzü ve Yaşama İlişkin Yazılar
Hubert Reeves-Frédéric Lenoir
Yeryüzünün Acısı

J.K.Rowling
Harry Potter ve Felsefe Taşı
Harry Potter ve Sırlar Odası
Harry Potter ve Azkaban Tutsağı
Harry Potter ve Ateş Kadehi
Harry Potter ve Zümrüdüanka Yoldaşlığı
Harry Potter ve Melez Prens
Harry Potter ve Ölüm Yadigârları
Fantastik Canavarlar Nelerdir, Nerede Bulunurlar?
Çağlar Boyu Quidditch
Ozan Beedle'ın Hikâyeleri
Turgut Uyar
Göğe Bakma Durağı - Seçme Şiirler

ÇOCUK VE EĞİTİMİ
Don Dinkmeyer-Gary D. McKay
Biz Bir Aileyiz
Zerrin Kehnemuyi
Çocuğun Görsel Sanat Eğitimi
Nüzhet Şenbay
Söz ve Diksiyon Sanatı

ÇİZGİ ROMAN - Red Kit
Daltonlar Evleniyor (Red Kit - 1)
Pony Express (Red Kit - 2)
Daltonlar Firarda (Red Kit - 3)
Yargıç (Red Kit - 4)
Dr. Doxey'in İksiri (Red Kit - 5)
Pat Poker'e Karşı (Red Kit - 6)
Teksas Postası (Red Kit - 7)
Daltonkent (Red Kit - 8)
Batı Sirki (Red Kit - 9)
Daltonlar Meksika'da (Red Kit - 10)
Daltonlar Kanada'da (Red Kit - 11)
20. Süvari Alayı (Red Kit - 12)
Kervana Hücum (Red Kit - 13)
Hayalet Kasaba (Red Kit - 14)
Billy The Kid (Red Kit - 15)
Dikenli Teller (Red Kit - 16)
Washington'un Adamı (Red Kit - 17)